SEU
BOLSO

SEU
BOLSO

Como organizar sua vida financeira,
evitar armadilhas e juntar mais dinheiro

DONY **DE NUCCIO** ▪ SAMY **DANA**

Copyright © 2014 Dony De Nuccio e Samy Dana
Copyright © 2014 Casa da Palavra
Todos os direitos reservados e protegidos pela Lei 9.610, de 19.2.1998.
É proibida a reprodução total ou parcial sem a expressa anuência da editora.
Este livro foi revisado segundo o Novo Acordo Ortográfico da Língua Portuguesa.

Revisão: Tiago Ramos
Projeto gráfico (capa e miolo) e diagramação: Sérgio Campante
Foto de capa: Tiago de Paula Carvalho

CIP-BRASIL. CATALOGAÇÃO-NA-FONTE
SINDICATO NACIONAL DOS EDITORES DE LIVROS, RJ

N876s

    Nuccio, Dony De
    Seu bolso: como organizar sua vida financeira, evitar armadilhas e juntar mais dinheiro / Dony De Nuccio, Samy Dana. – 1. ed. – Rio de Janeiro: Casa da Palavra, 2014.
    176 p. ; 21 cm.   (Conta corrente ; 1)

ISBN 978-85-7734-430-7

    1. Finanças pessoais. 2. Educação financeira.. I. Dana, Samy. II. Título. III. Série.

14-17098   CDD: 332.024
                                                                                  CDU: 332.024

CASA DA PALAVRA PRODUÇÃO EDITORIAL
Av. Calógeras, 6, 701 – Rio de Janeiro – RJ – 20030-070
21.2222 3167 – 21.2224 7461
divulga@casadapalavra.com.br
www.casadapalavra.com.br

SUMÁRIO

Prefácio 11

Introdução 15

Capítulo 1 – De casa nova! – Comprar ou alugar um imóvel? 17
1.1 As vantagens do aluguel 18
1.2 As vantagens da compra 19
1.3 A taxa de aluguel 20
1.4 Aluguel x financiamento 22
1.5 Oba! Vou comprar!... Mas qual? 25
1.6 Portabilidade do financiamento 30

Capítulo 2 – No comando: como criar um bom orçamento 34
2.1 Da bagunça à disciplina 34
2.2 Montando um orçamento financeiro 35
2.3 Personalizando seu controle 39
2.4 Mão na massa: exemplo de um orçamento financeiro pessoal 40
2.5 O orçamento ideal 42
2.6 No alvo... e longe dele 43

Capítulo 3 – A armadilha da dívida 48
3.1 O veneno dos juros 49
3.2 Fique sempre atento ao custo efetivo total (CET) 50
3.3 Por que é tão caro? 51

3.4 Descontos: realidade ou coisa para inglês ver? 54
3.5 Os 7 pecados financeiros 58
3.6 Como sair do buraco? 61

Capítulo 4 – Qual crédito eu pego? 73
4.1 Impacto no seu bolso 76
4.2 Moral da história 80
4.3 O uso inteligente do cartão de crédito 80
4.4 A jabuticaba do parcelamento 84

Capítulo 5 – Calcule sua inflação pessoal 87

Capítulo 6 – Carro: novo ou usado? 95
6.1 Quanto custa manter um carro? 95
6.2 Zerinho ou rodadinho? 99
6.3 À vista, financiado ou consórcio? 101
6.4 Carro ou táxi: quem ganha na corrida do custo? 102

Capítulo 7 – Armadilhas e dicas sobre serviços 106
7.1 O benefício da infidelidade na telefonia 106
7.2 De malas prontas: planejando sua viagem 110
7.3 Felizes até... o resgate: programas de fidelidade: como usar e quando descartar 112
7.4 Seguros: carro, casa, vida... 115

Capítulo 8 – Petgastos 124
8.1 Gastos iniciais 125
8.2 Gastos fixos mensais 126
8.3 Gastos no decorrer da vida 127

Capítulo 9 – A vida – e o bolso – a dois 130
9.1 O amor está no ar (e no bolso!) 135

Capítulo 10 – Colocando os filhos na conta 139

10.1 Educação financeira para os filhos...141

10.2 Como, quando e quanto 142

10.3 O que não fazer 144

Capítulo 11 – O dinheiro na terceira idade 147

11.1 Pé de meia 152

Capítulo 12 – O impulso pelas compras 154

12.1 Inteligência financeira 156

12.2 *Carpe diem* financeiro 158

12.3 Existe remédio? 160

12.4 Só para elas 162

Capítulo 13 – Agora é com você! 170

Notas 173

Agradecimentos

Este livro, embora seja um sonho antigo, nasce para valer com o projeto de reformulação no Conta Corrente. É portanto resultado do trabalho duro de uma equipe guerreira e talentosa, que todos os dias se dedica a levar o melhor do jornalismo e da economia para a tela da sua TV. Estas páginas não estariam em suas mãos sem o brilho, o empenho e a energia de cada craque deste entusiasmado time. Produtor, editores de texto e de imagem, ilustradores, repórteres, editor-chefe. É uma honra trabalhar com vocês.

O Conta Corrente também não existiria sem a garra, a alegria e a competência de assistentes de estúdio, operadores de áudio e de microfone, coordenadores, cinegrafistas, técnicos, diretores de TV. Cada um de vocês é parte desta história.

E toda essa empreitada, que surge da sinergia com o editor-chefe João Carvalho, só foi possível na TV ou no papel graças ao ousado e valioso suporte da direção da GloboNews e da TV Globo. Eugenia, Mariano, Silvia, Ali, Schroder. Obrigado pela aposta e pela confiança.

Samy, parceiro vibrante e genial, na tela, nas linhas e na vida. Essa aventura não teria a mesma graça sem você.

Aos meus amigos e à minha família, que sempre me apoiaram e acreditaram nos meus sonhos e projetos, por maiores ou mais distantes que parecessem, todo meu carinho e mais profundo agradecimento. Vocês são a razão dos meus passos e a chama que motiva minha caminhada. E todas as páginas deste livro não bastariam para expressar minha gratidão.

Dony

À minha querida avó, Elisa, fonte constante e infinita de carinho, amor, alegria, sabedoria e inspiração. Tão longe e sempre tão perto.

Agradeço à equipe do Conta Corrente por sempre ter possibilitado a realização de matérias com conteúdo e excelência. Sem o talento dos assistentes de estúdio, dos operadores de áudio, cinegrafistas, técnicos, diretores de TV, produtores, editores de texto e de imagem, ilustradores, repórteres e do editor-chefe, realmente a elaboração deste livro não teria sido possível!

Também agradeço à direção da GloboNews e da TV Globo pela oportunidade ímpar e pelo generoso convite.

Fica também meu agradecimento especial à Adriana Matiuzo, que ajudou de forma incansável em pesquisas, revisões e sugestões ao livro. A todos vocês, enfim, minha plena gratidão!

Por fim, agradeço ao talentoso e querido amigo Dony, parceiro de dentro e fora das telas. Espero que esta tenha sido a primeira de muitas jornadas escritas – é um prazer trabalhar com amigos que admiramos.

Com alegria,

Samy

Prefácio

Quanto custa levar a vida que você leva hoje? E quanto custa a vida que deseja ter? Conhecer o peso dos custos diários em seu orçamento é um dos primeiros passos para uma vida financeira organizada e, consequentemente, para um futuro próspero.

A educação financeira é uma etapa fundamental na formação de todos nós, mas nem sempre ganha o espaço que merece ao longo de nossas vidas. Assim, muitos adquirem dívidas crescentes e até desnecessárias, gastam mais do que podem e perdem o controle das finanças, experimentando os efeitos dolorosos da conta no vermelho.

Organizar seu orçamento doméstico vai além do controle dos gastos; é a demonstração de um comprometimento com você mesmo; da busca por uma vida melhor e de um futuro tranquilo. E foi pensando na importância de tudo isso que resolvemos dar destaque a este assunto no novo Conta Corrente.

O jornal exclusivo de economia mais conhecido da televisão brasileira passou por uma reformulação no início de 2013, tentando se aproximar mais dos telespectadores ao usar uma linguagem fácil e informal ao abordar os assuntos relacionados à sua vida financeira como um todo.

Mas, afinal, que tipo de economia queríamos noticiar? Do que as pessoas precisam saber? Foram duas das primeiras perguntas que passaram pela minha cabeça quando fui convidado a reformular o jornal.

Meu primeiro palpite foi que o tom deveria ser utilitário: falar da economia real que afeta diretamente o cotidiano de quem nos assiste. A partir daí, fizemos pesquisas com diferentes grupos de telespectadores para entender qual o tamanho do apetite por cada um dos assuntos que propus investigar. Foi sem surpresa que veio a constatação de que as finanças pessoais também estão no centro das atenções de quem nos assiste.

Sugeri, então, quadros em dias fixos, toda semana, em que pudéssemos discutir temas ligados à cada uma dessas áreas de grande importância. Daí surgiram os quadros Sua Carreira, Seu Bolso, Seu Negócio e Seu Investimento. E o tema que trazemos neste livro ficou alocado nas terças-feiras, mas, devido à sua importância, permeia o conteúdo de toda a semana. A educação financeira está no DNA do novo Conta Corrente.

Ainda na fase de implantação do novo jornal, quando ainda nem programas pilotos tínhamos gravado, convidamos um brilhante economista, cheio de personalidade e, sobretudo, com uma abordagem prática e inteiramente nova sobre o assunto: Samy Dana. Sua genialidade e simpatia aliadas ao enorme talento do jovem apresentador Dony De Nuccio foram a fórmula do sucesso. Rapidamente, o quadro Seu Bolso se tornou o campeão de perguntas e elogios do público.

A missão de colocar no ar um novo jornal só pôde ser concluída com a dedicação e o talento de uma equipe fantástica: Rodrigo Celestino, Viviane Maia, Maurício Martins, Carlos Eduardo Novaes, Rodrigo Cunha e muitos outros que diretamente ou indiretamente participaram desta empreitada; não posso deixar de mencionar a diretora da GloboNews, Eugenia Moreyra, a visionária, que me confiou essa tarefa e sempre apostou no brilhantismo de nossa equipe aguerrida.

Caro leitor, nas próximas páginas, Dony e Samy vão te guiar pelos caminhos necessários rumo à vida financeira organizada. Eles vão te dar dicas preciosas e discutir assuntos já vistos no jornal, e que agora ganham ainda mais profundidade. Convido você a embarcar nesta jornada, certo de que este livro e o nosso programa vão, a cada dia, contribuir mais um pouquinho para o seu êxito. Afinal o seu sucesso é o nosso principal desejo.

Boa leitura!

João Mostacada Carvalho
Editor-chefe do Conta Corrente

INTRODUÇÃO

É incrível, caro leitor, como é fácil se "enrolar" com dinheiro! A ironia é que isso é um mal relativamente novo para o brasileiro. Com a estabilidade econômica alcançada nos anos 90 (por meio da implantação do Plano Real), a forte redução no índice de desemprego e a expansão da oferta de crédito, ficou mais fácil fazer compras parceladas, obter financiamentos, usar o cartão. Mas todos esses fatores positivos, combinados com a falta de preparo para lidar com o dinheiro, se tornaram para muitos um pesadelo.

A questão é que não houve – e continua não havendo – uma política que estimule a educação financeira no país. Somos crus nisso e, na hora de mexer com dinheiro, erramos muito, cometemos "pecados" básicos e entramos de cabeça em situações que podem nos gerar danos no presente e no futuro, prejudicando projetos de vida, adiando sonhos, impossibilitando uma trajetória financeira equilibrada e saudável.

A ideia deste livro é ajudar você, leitor, a entender melhor algumas dinâmicas do dia a dia, achar soluções para enrascadas financeiras, e entrar de vez na rota da prosperidade.

Vamos explicar como organizar sua vida financeira e manter um bom orçamento doméstico, apontar os passos para resolver os problemas e reverter o saldo negativo no banco. Iremos abordar as arapucas da dívida, a escolha do melhor crédito, o dilema entre alugar ou comprar um imóvel, escolher um carro novo ou usado, pagar com financiamento ou consórcio. Falaremos de seguros, gastos com bichinhos de estimação, como usar de forma inteligente o cartão de crédito, como organizar os gastos com filhos e como passar a eles o legado da consciência financeira.

E explicaremos tudo isso com uma linguagem simples e objetiva, pois queremos que você entenda de forma didática quais são as principais armadilhas da economia moderna para um brasileiro e como você pode evitar as emboscadas ou solucionar os problemas para deitar com tranquilidade à noite. Sim, porque dívidas causam muita insônia!

Então, leia com atenção nossas explicações e procure pôr em prática nossas dicas. Não é difícil. Basta disciplina e boa vontade para manter a vida financeira em ordem e fazer o nosso dia a dia muito mais tranquilo e promissor!

Tenha a certeza de que despertar para o uso consciente do dinheiro é um grande passo para a sua vida em todos os sentidos. Não tome decisões de forma impensada. Assuma as rédeas da sua vida financeira e seja uma pessoa mais feliz!

Boa leitura e mãos à obra!

Dony e Samy

DE CASA NOVA! – COMPRAR OU ALUGAR UM IMÓVEL?

É tangível. É sólido. É bonito. É artístico. Do meu ponto de vista, eu simplesmente amo imóveis. – Donald Trump

Uhmmm, que delícia comprar aquela casa ou apartamento, reformar e arrumar do jeitinho que você sempre sonhou! A cor do sofá, o detalhe no gesso, a marcenaria sob medida, a posição da adega, a mesa para receber os amigos, as almofadas dando o aconchego, a luminária elegante ou moderna que você ama. Já dá até para imaginar como tudo vai ficar, nos mínimos detalhes!

Quando a gente fala da possibilidade de ter uma casa própria, a frieza do cálculo financeiro tende a ir para as cucuias! O aspecto emocional ganha um peso enorme, e a decisão por impulso acaba levando a caminhos que nem sempre favorecem o seu bolso.

Pagar aluguel às vezes é a solução prática e imediata. Se você está sem dinheiro para dar uma entrada, por exemplo, dificilmente vai conseguir comprar um imóvel. Mas independentemente de este ser o seu caso ou não, quando o assunto é aluguel, a polêmica sempre dá as caras. Para muita gente, isso é sinônimo de jogar dinheiro fora. "Você está gastando todo mês com algo que não é seu! Faça um financiamento logo", você ouve da tia, do cunhado, dos amigos...

Mas quando comprar é de fato a melhor opção? Quando o aluguel é mais vantajoso?

1.1 As vantagens do aluguel

Imagine a seguinte situação. Você tem pouco dinheiro guardado. As contas do cotidiano estão consumindo a maior parte da sua renda e o único patrimônio acumulado é o carro na garagem. Você recebe uma proposta bacana de trabalho do outro lado da cidade e, para ir e voltar de lá, vai perder três horas por dia.

Você decide que o melhor a fazer é arranjar um cafofo perto do novo emprego. Nesta situação, será que o melhor mesmo é comprar o imóvel, e ficar amarrado a um financiamento de quinze, vinte, trinta anos?

Alugar uma casa ou apartamento tem lá suas vantagens. E, em alguns casos, é a única alternativa.

O LADO BOM DO ALUGUEL

É um contrato curto e fácil de entrar e sair.

Não exige aporte de entrada.

O imóvel pode vir mobiliado.

Tende a ser mais barato que a valorização do imóvel.

Quando você aluga um imóvel, fica fácil de entrar e sair. O contrato não tem duração de décadas – como no financiamento. Além disso, não precisa de um aporte inicial, uma entrada, como no caso da compra. Em outras palavras, você não imobiliza todo o dinheiro que tem naquele pedaço de chão. Se não gostar do bairro, se surgir outra proposta de trabalho, se conhecer uma pessoa e quiser morar em outro lugar, fica tudo muito mais fácil.

Além disso, é uma solução mais barata. Muitos apartamentos são anunciados com toda a mobília, de tal forma que você não precisa torrar uma dinheirama para torná-lo habitável. Bastam pequenos ajustes. E, em muitos lugares, a escalada de preços se deu no valor dos imóveis, mas não proporcionalmente nos aluguéis. De tal forma que morar em um determinado bairro ou prédio pode ser inviável por meio da compra, mas factível com o artifício da locação.

1.2 As vantagens da compra

Se o aluguel tem lá suas vantagens, o mesmo pode ser dito da compra da casa própria. Ser dono do espaço onde você mora traz benefícios valiosos e um conforto psicológico que não pode ser desprezado.

O LADO BOM DE COMPRAR O IMÓVEL

Você pode reformar do jeito que quiser.

A valorização te acompanha.

O que você paga pode ser considerado como investimento.

Se você tiver qualquer problema, poderá vender e pegar de volta uma grande parte do dinheiro.

Enquanto no caso do aluguel você precisa pedir a benção do proprietário para toda e qualquer melhoria que queira fazer, quando você é o dono do pedaço, é você quem manda!

Respeitando as regras do condomínio, pode reformar, pintar, furar, derrubar parede, mudar os cômodos, personalizar o *layout*, trocar as torneiras, revestir a churrasqueira, e tudo o que sua criatividade mandar e seu bolso permitir. É gostoso morar em um lugar que é seu! Além disso, se o preço sobe, a valorização te acompanha, seu patrimônio cresce e, na hora da venda, isso pode ser vantajoso.

7,9 milhões
de famílias declararam que pretendem adquirir um imóvel nos próximos dois anos.[1]

1.3 A taxa de aluguel

Tá! Ok! Entendi! Alugar tem algumas vantagens. Comprar tem outras. Mas na hora de colocar na balança, analisando financeiramente, quando é mais vantajoso para o bolso comprar o imóvel? E quando devo alugar?

Para começar, existe uma regra prática e direta. É a regra da Taxa do Aluguel.

CANETA NA MÃO

(Valor do aluguel/Valor do imóvel) x 100 = taxa de aluguel

Por exemplo: Vamos considerar que o valor do imóvel seja de R$ 550 mil e que você tenha dinheiro suficiente para fazer a compra à vista. Suponha ainda que o valor do aluguel para um apartamento neste mesmo prédio esteja em R$ 3 mil.

Neste caso, a taxa de aluguel é:

(3.000 /550.000) x 100 = 0,0055 x 100 = 0,55%

Mas o que fazer com essa taxa de aluguel de 0,55%? Como interpretar isso?

É simples. Basta comparar com as taxas de juros pagas pelas principais alternativas de investimento.

#FICAADICA!

Se a taxa de aluguel for maior que o rendimento das principais alternativas de investimento de renda fixa (conservadores), compre o imóvel! Se a taxa de aluguel for menor, continue com a locação e invista o dinheiro!

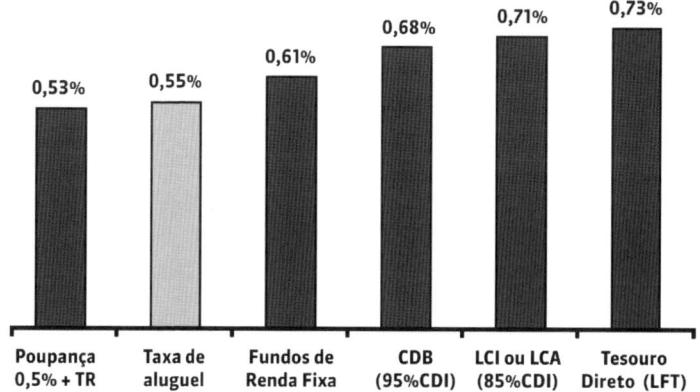

Vamos fazer um exemplo e colocar tudo isso lado a lado, considerando dados ao mês.[2]

Nas contas com nosso imóvel hipotético, a taxa de aluguel ficou em 0,55% ao mês. Ou seja, ela só é maior que o rendimento da poupança (seria melhor comprar o imóvel do que deixar o dinheiro na caderneta). Mas perde para CDB, fundos de renda fixa, LCI ou LCA e ainda para o Tesouro Direto. Isso significa que, se você pegasse os R$ 550 mil que tem para comprar o imóvel e investisse todo o dinheiro em qualquer uma dessas aplicações, o rendimento mensal seria suficiente para pagar 100% do aluguel... e ainda sobraria dinheiro para algumas contas!

Se a taxa de aluguel fosse de 0,45% ou menos (caso muito frequente), usando as taxas deste exemplo, compensaria mais uma vez optar pela locação e deixar o dinheiro investido. Se fosse superior a 0,85%, certamente a escolha mais acertada seria a de efetivar a compra. E assim por diante. Para tomar sua decisão sempre compare a taxa de aluguel com a rentabilidade dos investimentos de baixo risco (como esses que apontamos).

Naturalmente, vale citar, o dono de um imóvel se beneficia da eventual valorização da casa ou do apartamento. Em uma escalada de preços robusta como a que ocorreu nas principais cidades do Brasil entre 2009 e 2013, muitos proprietários comemoraram ao ver o patrimônio aumentar com força, e os números adubaram os anseios de potenciais compradores. Mas, sobre isso, duas observações.

Em primeiro lugar o cenário tem um aspecto conjuntural, consequência de fatores como vigorosa expansão do crédito e aumento da renda real de uma grande massa de trabalhadores. Antes disso, durante décadas, os preços dos imóveis cresceram de forma muito mais preguiçosa. Em segundo, do ponto de vista de finanças pessoais, o imóvel no qual você mora precisa ser visto como um passivo. A menos que você tenha um inquilino, a casa ou apartamento não representa uma fonte de renda, mas, sim, de despesa. Portanto a comparação precisa avaliar a foto atual, o cálculo da taxa de aluguel em relação às alternativas de investimento disponíveis no mercado. Especulações sobre valorização ou queda no valor dos imóveis são isso: especulações. Podem ser profecias que dão certo, ou naufragam levando junto seu bolso para o fundo do mar.

1.4 Aluguel X financiamento

A regra da taxa de aluguel que acabamos de explicar vale se, e somente se, você tiver todo o dinheiro para pagar o imóvel em uma tacada só. Na maioria esmagadora das vezes esse não é o caso. Geralmente temos algum valor acumulado, talvez o suficiente para dar uma entrada, mas para por aí. E, nesta situação, como fica a conta? Como saber se o melhor é alugar ou fazer um financiamento?

O aluguel não vai valer a mesma coisa que a parcela do seu financiamento. E fazer a comparação direta pode ser um erro, afinal você precisou desembolsar uma bela grana como entrada! Isso precisa entrar na conta.

TINTIM POR TINTIM

EM QUINZE PASSOS

- Anote o valor máximo que você poderia pagar por uma prestação de casa própria;

- O recomendável é que o valor não ultrapasse os 30% do seu rendimento líquido. Uma fatia maior que essa tende a te deixar sobrecarregado com as contas pessoais. Não dê um passo maior que a perna;

- Caso esteja comprando junto com sua mãe, seu marido/mulher, seus irmãos... os 30% são indicados como um teto sobre o rendimento de cada um;

- Pesquise o que há de linha de crédito imobiliário disponível para você no mercado. Atualmente, as mais comuns são: o Sistema Financeiro Imobiliário, o Programa Minha Casa, Minha Vida, o Sistema Financeiro de Habitação, além dos tradicionais consórcios;

- Entre nos sites dos bancos e aproveite para fazer a simulação de como ficaria um financiamento. Assim, é possível ter uma noção mais precisa do valor das parcelas desde o início até o final, o que é importante para não ser surpreendido, nem ficar (cedo ou tarde) com o orçamento desfalcado;

- Ao comparar bancos, olhe o CET- Custo Efetivo da Total da dívida, pois esse incorpora todos os custos envolvidos como IOF, seguro, e outros;

- Dê preferência para os contratos com uma taxa de juros pós-fixada ou vinculada à TR (Taxa Referencial);

- Lembre-se do prazo. As parcelas deverão ser pagas faça chuva ou faça sol;

- Em geral, o sistema SAC é mais interessante pois possui parcelas decrescentes;

- Faça um esforço para dar uma entrada grande; isso diminui o valor a ser financiado e evita que você perca muito dinheiro pagando juros. Em muitos casos, as taxas são tão altas que, ao final do financiamento, seria possível ter comprado dois apartamentos em vez de um. Com uma entrada gorducha você pode deixar de carregar um fardo de dívidas pesado durante anos - ou décadas;

- Usar o FGTS é uma excelente dica para quem quer dar uma boa entrada na compra de imóvel;

- O FGTS também pode ser utilizado para quitar o financiamento ou, pelo menos, parte do saldo devedor. Pense nisso com carinho e fique atento ao seu saldo no Fundo de Garantia;

- Se você compra com a sua mãe, seu marido/mulher, seus filhos ou irmãos, deixe claro no contrato quem tem direito a quanto. Nunca sabemos o que a vida nos reserva e quantas complicações poderão surgir em função de um falecimento ou, simplesmente, de uma separação;
- Quem é casado em regime de comunhão parcial dos bens, e faz a compra depois do casamento, automaticamente terá que dividir o imóvel com o cônjuge, pois ele terá direito a 50% de tudo, mesmo que o nome não esteja no registro;
- Não se esqueça dos gastos com taxas, impostos e reforma - separe um valor para isso antes da entrada para não ficar negativo no banco e pagar taxas bem maiores que as do financiamento.

#FICAADICA!

O consórcio é, efetivamente, uma alternativa muito mais em conta do que o financiamento a longo prazo, pois, neste tipo de transação, não existe cobrança de juros. Cada consorciado fica responsável pelo custeio de uma taxa de administração que pode chegar a 2,4% ao ano. Já as linhas de crédito imobiliário, vale ressaltar, têm juros que giram em torno de 12% ao ano.[3]

Se você tiver uma boa reserva de dinheiro, poderá participar das reuniões mensais de sorteio e leilão de cartas de crédito. Quem dá o melhor lance fica com a carta de crédito e antecipa a aquisição do imóvel.

Mas cuidado! O consórcio só vale a pena quando você já tem um lugar onde morar e pode esperar, com tranquilidade, pelo sorteio. Se até chegar o dia de ser contemplado (possivelmente, anos!) você tiver que viver de aluguel, faça as contas! Eventualmente o dinheiro que você gasta na locação, somado à parcela do consórcio, equivale ao custo do financiamento!... e, aí, adeus benefício.

Quando você tem todo o dinheiro para comprar o imóvel à vista, dissemos que é preciso comparar a taxa de aluguel com a rentabilidade dos investimentos e assim definir a melhor estratégia. Quando o imóvel é financiado, a situação é parecida, mas desta vez você precisa comparar a taxa de aluguel com a taxa de financiamento!

Essa taxa é o famoso CET (Custo Efetivo Total). Basta consultar o banco ou a instituição que está oferecendo o crédito. Eles são obrigados a informar!

Aí, o raciocínio é similar ao caso anterior. Se a taxa de aluguel for maior que o CET do financiamento, compre o imóvel! Se for menor, vale mais a pena continuar com a locação.

> **R$ 22.483**
> é o valor do metro quadrado no Leblon,
> na zona sul do Rio de Janeiro – o mais caro do Brasil.[4]

1.5 Oba! Vou comprar!... Mas qual?

Fazendo as contas você chegou à conclusão: vou comprar o imóvel dos meus sonhos! O primeiro passo foi bem dado: a decisão se baseou em números, cálculos, não exclusivamente no impulso ou na vontade de chamar de seu o espaço onde dorme.

Mas existem diversas modalidades possíveis de imóveis à venda. Você pode, por exemplo, comprar um apartamento na planta, com a vantagem de que, às vezes, o valor é mais baixo e há tendência de valorização.

Outra alternativa é eliminar o risco da construção e pagar o preço para comprar quando ele já estiver pronto e zerado. E pode ainda decidir que a melhor relação custo-benefício é adquirir um imóvel usado, que talvez não tenha a pompa de um novinho em folha, mas pode proporcionar uma metragem maior pelo mesmo valor. Vamos colocar todas essas alternativas na balança e ver como elas se diferenciam.

IMÓVEL NA PLANTA

PRÓS

Comprar na planta sai, sim, mais em conta do que adquirir um imóvel pronto. Entre a compra no início das obras e a entrega após a conclusão, o imóvel terá uma valorização que geralmente passa dos 20%. Dependendo do imóvel, da localização e até do número de vagas na garagem, ela pode chegar a 50%.

Algumas construtoras autorizam palpites dos clientes e uma eventual personalização na disposição das paredes e na escolha do material para o acabamento.

O investimento maior concentra-se todo na área comum onde há playground, piscinas, quadras, salão de jogos, vagas de estacionamento. As opções de lazer são mais sofisticadas. Repare nos condomínios de casas e edifícios mais antigos e os mais novos que você conhece e faça uma comparação. Cada dia mais as construtoras têm focado no bem-estar dos moradores e na concepção de condomínio-clube. Interessante para quem usa efetivamente a área de lazer.

Os imóveis novos têm vindo com uma tubulação hidráulica e rede elétrica mais resistentes, preparadas para receber um volume maior de aparelhos ligados ao mesmo tempo. Enquanto isso, os imóveis mais antigos costumam dar dor de cabeça para os moradores por terem instalações mais antiquadas e que necessitam de substituição.

CONTRAS

É recomendável apenas para quem não paga aluguel, caso contrário as parcelas do financiamento se somam ao valor da locação e o bolso pode não aguentar!

Como é possível imaginar, a área central das grandes cidades está quase completamente ocupada. Com isso, sobram poucas áreas livres para a construção de novos imóveis. As que surgem geralmente estão nos bairros mais afastados. Esta é uma limitação. Só deve comprar na planta, portanto, quem não se importa em morar um pouco fora da região central da cidade.

Os imóveis novos, especialmente os apartamentos, tendem a ter quartos e ambientes menores do que os já prontos. Eles correspondem a uma necessidade moderna de aproveitar melhor os espaços e possibilitar a maior quantidade possível de cômodos individuais.

O risco é mais alto do que na compra de um imóvel pronto. A construção pode ter atrasos consideráveis, e isso pesar no seu bolso. Existe ainda a chance pequena, mas não desprezível, de algum embargo judicial ou falência da empresa responsável.

Se por um lado a tendência é de valorização do valor investido, por outro o capital fica imobilizado. Se seu único objetivo é rentabilidade financeira, pense com calma. Calcule, com base na estimativa de duração da construção e na valorização esperada, quanto você ganharia em outro tipo de aplicação. Se a obra tem previsão de 3 anos para ser finalizada, e a expectativa é de que o imóvel valorize 30%... você pode conseguir rentabilidade igual ou maior em aplicações conservadoras de renda fixa como títulos do Tesouro Direto.

IMÓVEIS PRONTOS/USADOS

PRÓS

Imóveis prontos costumam vir completos, com todos os itens da rede elétrica, hidráulica e de iluminação. Nos imóveis comprados na planta, é comum que os novos proprietários tenham que desembolsar dinheiro para comprar o que falta.

Imóveis usados podem vir até com alguns extras deixados pelos antigos moradores/donos como espelho, itens decorativos, cortinas, lustres, prateleiras, ventiladores.

Como o lugar já existe fisicamente, é possível observar com precisão (e não em uma maquete ou foto ilustrativa) se as características te agradam: a vista, o andar, a localização, o funcionamento, a luminosidade, o acabamento, o barulho...

Quase sempre os imóveis prontos (usados) precisam de reparos, pequenas reformas ou melhorias que podem impactar no preço, abrindo espaço para bons descontos na hora de fechar negócio.

Sem a intermediação de construtoras e incorporadoras, como acontece com os imóveis na planta, os imóveis prontos são negociados diretamente pelos proprietários, o que torna muito mais fáceis e produtivas as negociações. Os donos, geralmente, não querem se desfazer de seus imóveis. Se o fazem é por motivos fortes como necessidade de dinheiro, mudança de país, ou troca por um maior - o que fortalece o poder de barganha de quem está interessado em comprar.

A negociação direta com o dono do imóvel também pode facilitar a questão dos prazos. Quem precisa de financiamento consegue, muitas vezes, pedir um tempo para que o proprietário aguarde a liberação do dinheiro.

Os imóveis antigos costumam ter cômodos muito maiores do que os imóveis mais novos.

Imóveis mais antigos também costumam ter janelas e portas maiores, além de um pé-direito mais alto.

É possível encontrar imóveis prontos mais bem localizados do que novos empreendimentos, construídos nas áreas ainda livres da cidade. Morar em bairros mais centrais ou próximos a estações de metrô (no caso das grandes metrópoles) possibilita um deslocamento mais rápido e eficaz, especialmente para quem usa transporte público, além de comodidade para usufruir das facilidades devido ao grande desenvolvimento comercial. Há padarias, supermercados, lanchonetes e vários outros estabelecimentos por todo lado.

CONTRAS

Imóveis com mais de 20 anos podem apresentar necessidades de manutenção caras, como substituições radicais da rede elétrica e hidráulica, que implicam em contratação de mão de obra especializada, gastos altos e dias de dor de cabeça. É preciso atenção redobrada aos interruptores, chuveiros, torneiras e até infiltrações.

Mesmo sem grandes estruturas de lazer, condomínios de casas e edifícios antigos costumam ter taxas de condomínio tão caras quanto os novos. Isso porque o volume de casas e apartamentos antes não era tão grande quanto hoje para o rateio das despesas de manutenção, além de possuírem, muitas vezes, contratos de trabalho antigos com valores elevados.

Por serem mais antigos, os projetos, normalmente, não conseguem atender demandas modernas como mais vagas na garagem e sacada.

Por fim, lembre-se de que, quando você pensa em comprar um imóvel, as despesas não param no valor anunciado. É preciso levar em conta custos adicionais que vão pesar no seu bolso:

Despesas de cartório (Escritura, registro do imóvel, certidões): O valor é tabelado, muda de estado para estado e é determinado por faixas de preço. Quanto maior o valor do imóvel negociado, maior o custo total.

ITBI (Imposto de Transmissão de Bens Imóveis): Varia de cidade para cidade. Em São Paulo a taxa é de 2% e deve ser paga no ato da compra. Entre no site da prefeitura de sua cidade para ver o custo. Somados, os impostos e as despesas de cartório podem chegar a 4% do valor do imóvel.

Comissão do Corretor: Gira em torno de 6%, é paga pelo vendedor e já está embutida no valor anunciado de venda.

Reforma: Vale fazer uma análise dos custos e conversar com amigos ou colegas que passaram por essa etapa. Via de regra, as pessoas subestimam muito as despesas e o tempo desse processo. Para quem compra um apartamento novo, muitas vezes, a entrega acontece no contrapiso. Isso significa que você terá que torrar uma montanha de dinheiro com revestimentos, porcelanatos, acabamentos, metais, parte elétrica, tomadas, pedreiros, pintores, gesseiros, marceneiros...

Mobília: Uma pesquisa rápida pode auxiliar na estimativa do orçamento. O custo varia muito dependendo da exigência do cliente, da loja, da sofisticação dos materiais.

Por fim, negocie muito! Muito! Pense que tanto quanto você querendo comprar o imóvel, o dono dele quer vendê-lo. Quanto mais rápido, melhor. E, para fechar o negócio de valor tão elevado, sempre é possível conseguir um bom abatimento no preço. Um desconto de 10% pode parecer pouco como fatia, mas em um imóvel de R$ 800 mil são R$ 80 mil! Quanto tempo você demora para juntar todo esse dinheiro? Valorize o seu bolso! Não feche sem barganhar.

1.6 Portabilidade do financiamento

OLHO NO EXEMPLO!

Há dois anos, Julia e o marido financiaram um apartamento no Brooklin, Zona Sul de São Paulo. Eles tinham dinheiro para a entrada, mas, como a região teve uma supervalorização, decidiram procurar o banco. O problema é que as parcelas de R$ 900 têm pesado agora que a filha está fazendo intercâmbio na Europa e a família se mobilizou para financiá-la.

Julia, então, decide consultar outras instituições bancárias para ver a possibilidade de fazer a portabilidade. Logo no primeiro banco, ela entrega o relatório sobre sua dívida e descobre que o valor cobrado seria praticamente o mesmo que ela já paga hoje: R$ 933.

Julia busca um segundo banco. Nele, sua parcela poderia cair para R$ 789. Porém, ela só conseguiria migrar sua dívida se aderisse a um seguro residencial do banco que sai por R$ 100/mês. Moral da história: na prática a diferença seria de apenas R$ 44, o que Julia considera pouco.

Somente no terceiro e último banco, ela encontra uma proposta realmente interessante. O financiamento, somado aos encargos e a todas as exigências do banco, representaria para o mesmo prazo parcelas de R$ 790, um desconto de 13%, que, finalmente, agrada a consumidora. E ela decide fazer a portabilidade.

A portabilidade de financiamento é uma alternativa que pode ser muito interessante para quem quer mudar de credor e conseguir taxas mais em conta em um empréstimo já realizado. Por isso fizemos uma sessão de dúvidas e respostas. Tudo o que você queria saber sobre portabilidade, mas nunca teve coragem de perguntar:

1) O que é a portabilidade?
É quando o cliente resolve trocar o banco de seu financiamento. Dessa forma, você pode ter feito o financiamento de um imóvel

em um banco e depois, futuramente, nada impede que você migre sua dívida para outra instituição bancária;

2) Quando a portabilidade é indicada?
Somente para casos em que o consumidor gostaria de tentar reduzir a taxa de juros que vem pagando nas parcelas do seu financiamento. A ideia é pesquisar e encontrar um banco concorrente que cobre com uma taxa mais baixa. A primeira medida a ser tomada é solicitar ao seu banco um relatório sobre o financiamento que foi feito com todos os prazos, as condições e o saldo devedor.

3) Como faço para pesquisar os juros dos outros bancos?
Com o relatório do seu banco atual em mãos, faça uma pesquisa em outros bancos pessoalmente. Peça a cada banco que apresente propostas para tentar melhorar os juros que você vem pagando e deixe claro o seu interesse em fazer a migração da dívida, caso haja uma oferta mais interessante e compatível com o que procura.

4) Como saber se vale a pena ou não fazer a portabilidade no meu caso?
Basicamente, analisando as taxas e condições, principalmente comparando o chamado CET (Custo Efetivo Total) do seu financiamento. Quanto menor o CET, melhor para o seu bolso.

Ainda assim, por mais atraente que possa parecer a taxa oferecida pelos concorrentes, retorne ao seu banco, mostre a melhor oferta que tem em mãos e peça uma contraproposta. A instituição terá cinco dias para oferecer isso a você e poderá, inclusive, fazer uma oferta mais atrativa para não te perder como cliente.

5) Nesta transição, é possível tentar negociar o prazo original do meu financiamento?
Não. O prazo permanecerá o mesmo.

6) E o valor do financiamento? É possível aumentá-lo, seja em outro banco (com a portabilidade) ou no banco atual, após uma renegociação?

Não. O valor do contrato também é inalterável. O único item que poderá ser alterado é a taxa de juros.

7) Existe alguma pegadinha a que devo ficar atento?

Sim! As instituições bancárias que você está pesquisando podem colocar juros mais baixos para atraí-lo. Como forma de compensação, no entanto, elas podem vincular esta taxa à sua adesão a outros serviços, como a aquisição de seguros. Por isso, é fundamental que você coloque exatamente tudo na ponta do lápis, incluindo todo e qualquer serviço que o banco esteja tentando empurrar para você como condição para baixar a taxa de juros. Em alguns casos, mesmo com a taxa menor, o custo total (em função desses penduricalhos) pode ficar acima do financiamento original.

8) Se eu encontrar um banco que ofereça juros mais baixos efetivamente, meu banco atual poderá barrar ou atrapalhar a minha portabilidade?

Não. Por lei, após você apresentar a proposta do banco concorrente, a sua instituição bancária atual terá cinco dias úteis para fazer uma contraproposta interessante, e quem sabe te convencer a mudar de ideia. Se isso não der certo, ela terá, obrigatoriamente, que liberar sua documentação para a migração do financiamento.

Falamos até aqui sobre um dos principais anseios de qualquer pessoa: a compra da casa própria. Mas, para que você possa realizar esse sonho sem passar por um purgatório financeiro, é preciso organizar a situação e a saúde do seu bolso. Para isso é importante criar um orçamento eficiente a lidar de forma adequada com as dívidas, temas das nossas próximas páginas.

CHECKLIST

LEMBRE-SE DOS PONTOS CRUCIAIS
DESTE CAPÍTULO!

Calcule a taxa de aluguel.

Se você tiver o valor integral do imóvel, compare essa taxa com a rentabilidade de investimentos de baixo risco.

Caso tenha apenas recursos para uma entrada, confronte a taxa de aluguel com o CET do financiamento.

Na hora de avaliar a compra, não se esqueça de incluir gastos com reforma ou acabamento do imóvel.

Compare cuidadosamente os prós e contras de comprar um imóvel novo, na planta, ou usado.

Muitas vezes o financiamento sai tão caro que, ao final, seria possível ter comprado dois imóveis. Seja racional e tenha personalidade. Esperar um pouco para juntar mais dinheiro pode trazer a possibilidade de um negócio muito mais justo e de qualidade.

Não rasgue dinheiro nem gaste à toa. Se encontrar um banco com taxas menores, faça as contas e peça a portabilidade.

2

NO COMANDO: COMO CRIAR UM BOM ORÇAMENTO

A economia é uma virtude distributiva e consiste não em poupar, mas em escolher. – Edmund Burke

Existe um universo complexo de possibilidades financeiras ao seu redor, e, para ter acesso a ele, precisamos falar do velho e bom orçamento. Tão importante quanto saber aonde chegar, é estabelecer a estratégia de como chegar lá. Você já sabe por que tem de se organizar, agora vai entender como fazer isso.

Qualquer empresário, executivo ou empreendedor, quando monta um bom projeto e traça metas a serem atingidas, estabelece um passo fundamental para favorecer o sucesso da empreitada: um bom plano de ação. Isso vale para as empresas, para os atletas, e claro, vale também para o seu bolso!

Do ponto de vista das finanças pessoais, essa estratégia é representada na forma de um orçamento. Você precisa organizar sua vida financeira radiografando o dinheiro que entra e o que sai, e determinando a proporção máxima que cada despesa deve ocupar.

2.1 Da bagunça à disciplina

O primeiro passo para começar a construir uma vida financeira saudável é dar um jeito na bagunça que talvez caracterize sua situação econômica hoje.

#FICAADICA!

Ainda que no atual momento a soma das contas tenha o peso de uma bigorna no seu bolso, pior do que calcular o impacto delas é ser pego de surpresa, seja por uma fatura inesperadamente alta do cartão de crédito, seja pelo saldo vermelho no banco ao final do mês! O orçamento bem feito evita esse tipo de susto.

Há 15 ou 20 anos, controlar os gastos pessoais era tarefa realizada quase que exclusivamente em um velho caderninho surrado. Mas o avanço da tecnologia e a portabilidade de muitos equipamentos ajudaram a facilitar essas anotações. Embora nada impeça que você continue adotando o controle de gastos à moda antiga, o uso dos computadores, tablets ou smartphones contribui para um resultado final mais completo e ágil.

Você pode criar uma planilha de controle em programas clássicos de computador. Caso prefira ter os dados na ponta dos dedos e onde estiver, pode optar por um aplicativo de celular e tablet, como o do Conta Corrente, que é gratuito. Caso tenha aversão aos equipamentos eletrônicos, pode também manter a tradição de anotar com o próprio punho.

Faça como achar melhor! O importante é criar o hábito de registrar regularmente as despesas e manter o controle sempre atualizado.

8 em cada 10
brasileiros não têm controle total de suas despesas pessoais.[5]

2.2 Montando um orçamento financeiro

Elaboramos um modelo que pudesse ser ao mesmo tempo simples, prático, completo e eficaz. Para começar, são quatro categorias principais. Mais à frente, veremos as respectivas subdivisões.

FOCO NISSO!

CONHEÇA AS 4 GRANDES CATEGORIAS DO ORÇAMENTO FINANCEIRO:

Receitas

Sobrevivência

Supérfluos

Investimentos

A Receita, como o próprio nome sugere, agrupa todo o dinheiro que entra na sua conta. Das quatro categorias, é a única em que os registros são positivos, aumentando o saldo no banco. Convém aqui usar apenas os dados líquidos – o dinheiro que efetivamente pinga na sua conta todo mês.

Os outros três tópicos representam saída de caixa, contemplando sempre um débito na sua conta. São as despesas, agrupadas em categorias diferentes.

Os gastos de Sobrevivência incluem todas as despesas – sejam elas fixas ou variáveis – que estão relacionadas à sua moradia, transporte e alimentação no dia a dia. Entram nesse grupo contas da casa, do celular, da TV por assinatura, do carro, da academia, do supermercado, dos filhos. A maior parte dos seus gastos estará aqui.

As despesas com Supérfluos não devem ser encaradas de forma depreciativa. Elas têm um papel importante para que você possa se divertir e aproveitar o dinheiro que ganha. Afinal, é para isso que você trabalha! E, embora com fatia menor, elas precisam estar ali todo mês. São gastos com restaurante, cinema, passeios, presentes, viagens, lazer.

Por fim, os Investimentos também representam um débito – embora da melhor qualidade possível. É o dinheiro que sai da sua conta e vai para diversas aplicações com a missão de aumentar seu patrimônio futuro.

#FICAADICA!

Ao organizar um orçamento financeiro, não seja tão genérico a ponto de não identificar uma despesa registrada, mas também nem tão detalhista a ponto de deixar o processo complexo, trabalhoso ou chato!

Vamos agora às subdivisões em cada uma dessas categorias. Estamos criando aqui um modelo de orçamento geral, que se aplica a um grande número de pessoas. Você poderá em breve fazer os ajustes necessários para personalizar o controle e adequá-lo à sua realidade.

RUMO CERTO!

DIVIDINDO ADEQUADAMENTE SEU ORÇAMENTO

RECEITAS

Salários

Extras (13º, bonificações, Participação nos Lucros, Prêmios por desempenho...)

Outras fontes de renda (aluguel de imóvel, de garagem, pensão alimentícia...)

Trabalho extra remunerado (freelance, eventos, bicos...)

SOBREVIVÊNCIA

Contas domésticas (gás, telefone, água, condomínio, supermercado, feira)

Financiamentos (parcelas de compras de carros ou imóveis)

Transporte (van escolar, combustível, vale-transporte, estacionamento)

Educação (matrícula, mensalidade escolar, mensalidade de cursos extras, uniforme)

Saúde (plano de saúde, compra de medicamentos, plano dentário, sessões de fisioterapia, psicanálise, consultas médicas)

Filhos (atividades esportivas, roupas, sapatos, lanches da escola)

Pets (ração, veterinário, brinquedos, banhos e tosa em pet shops)

SUPÉRFLUOS

- passeios culturais (cinema, teatro, exposições)
- passeios ao ar livre (viagens, trilhas, aluguel de bicicletas)
- presentes para si mesmo ou para os outros (CDs, livros, perfumes...)
- alimentação especial (da conta no restaurante até o acarajé na feira, passando pela pipoca do cinema, jantares, bebidas, botecos e afins)
- guarda-roupa (roupas, sapatos, bolsas, acessórios)
- beleza (cabeleireiro, esteticista, barbeiro, manicure, depiladora, dermatologista, maquiagem)
- decoração (móveis e acessórios para casa)
- Férias (parcelas de viagem, hotel, passagem, passeios)
- Esporte (academia, atividades esportivas, equipamentos)
- Música (aulas, instrumentos, manutenção)

INVESTIMENTOS

- Renda fixa (Tesouro Direto, CDBs, Poupança, LCA, LCI, Fundos de investimento...)
- Renda Variável (Bolsa, fundos de ações, fundos multimercado...)

É importante manter o saldo sempre atualizado. Isso significa que é preciso anotar gasto por gasto, de preferência na hora. Isso automaticamente trará muito mais controle e consciência sobre as despesas efetivamente realizadas e o saldo disponível. Não deixe acumular suas atualizações de um dia para o outro, pois há um risco grande de que suas anotações se percam e que você se esqueça de contabilizar algo.

E claro, o saldo é o resultado da conta que compõe os 4 grandes grupos do seu orçamento:

Receitas – Sobrevivência – Supérfluos – Investimentos = SALDO DISPONÍVEL

57%
dos brasileiros não sabem informar, com precisão, quanto têm de gastos extras mensalmente.[6]

2.3 Personalizando seu controle

Cada pessoa tem uma realidade financeira diferente. Isso vale não apenas para o salário que pinga na conta, mas para os itens que fazem com que ele seja sugado todo mês.

Quem tem filhos, por exemplo, precisa considerar despesas com material escolar, matrícula, mensalidade, brinquedos – gastos que não entram no orçamento de quem não é pai ou mãe. Um esportista terá que computar equipamentos, treinador, suplementos alimentares – tópicos que, possivelmente, diferem daqueles de um pianista.

Por isso é interessante personalizar o modelo de orçamento que sugerimos. Adaptá-lo à sua realidade e ao seu perfil de consumo.

Um bom jeito de fazer isso é listar em um papel todas as despesas que você tem. Fixas e variáveis. Contas de aluguel, água, luz, telefone, TV por assinatura, gasolina, dívidas, cinema, restaurantes, supermercado, educação, filhos, bichinhos de estimação, passeios do final de semana.

Uma vez detalhados os gastos típicos do mês, tente encaixá-los no orçamento sugerido, eliminando ou acrescentando subcategorias. O resultado final precisa ser um orçamento prático, intuitivo e adequado à sua vida financeira. Nem muito genérico nem extremamente detalhado.

56%
dos brasileiros chegam ao último dia do mês sem ter poupado um único centavo sequer.[7]

> **#FICAADICA!**
>
> Quando você tem uma empregada doméstica, é importante respeitar e cumprir todos os direitos adquiridos, como horas extras. Mas isso pode representar um gasto elevado no seu orçamento. Dependendo da carga e do horário de trabalho, uma empregada que ganha R$ 1.000 pode custar efetivamente ao empregador mais de R$ 2.100. É fundamental calcular com precisão os gastos para decidir se é viável manter o vínculo ou se o mais interessante é contratar uma diarista com frequência de até duas vezes por semana.

2.4 Mão na massa: exemplo de um orçamento financeiro pessoal

ORÇAMENTO	
1. RECEITAS	R$ 8.530,00
1.1 Salário e outras rendas	R$ 8.530,00
2. SOBREVIVÊNCIA	R$ 4.960,00
2.1. Moradia e Gastos básicos	R$ 3.150,00
2.1.1. Alimentação	R$ 1.000,00
2.1.2. Água/ Luz	R$ 100,00
2.1.3. Aluguel e condomínio / IPTU	R$ 1.000,00
2.1.4. Telefone	R$ 100,00
2.1.5. Empregados	R$ 850,00
2.1.6. Internet e TV a cabo	R$ 100,00
2.2. Transporte	R$ 700,00
2.2.1. Combustível	R$ 300,00

2.2.2. Parcela e Financiamento	R$ -
2.2.3. Seguro / IPVA / Licenciamento	R$ 100,00
2.2.4. Estacionamento	R$ 300,00
2.2.5. Ônibus / Metrô e Táxi	R$ -
2.3. Educação	R$ 880,00
2.3.1. Escola / cursos	R$ 800,00
2.3.2. Material / uniformes	R$ 80,00
2.4. Saúde	R$ 230,00
2.4.1. Gasto Médico/Plano de Saúde	R$ 200,00
2.4.2. Remédios	R$ 30,00
3. SUPÉRFLUOS	**R$ 1.330,00**
3.1 Roupas	R$ 230,00
3.1.1 Adultos	R$ 150,00
3.1.2 Crianças	R$ 80,00
3.2 Lazer	R$ 1.100,00
3.2.1. Restaurante	R$ 500,00
3.2.2 Cinema / Teatro / Casas Noturnas	R$ 200,00
3.2.3 Viagens	R$ 300,00
3.2.4 Livros / revistas / CDs / Filmes	R$ 100,00
4. INVESTIMENTOS	**R$ 2.100,00**
4.1 Poupança	R$ 300,00
4.2 Fundos de Investimento	R$ -
4.3 Tesouro Direto	R$ 1.000,00
4.4 CDBs, LCIs e LCAs	R$ 800,00
4.5 Ações	R$ -
5. Saldo em Conta Corrente	**R$ 140,00**

2.5 O orçamento ideal

Vimos que o orçamento deve ser dividido em quatro grandes grupos, três dos quais representam as saídas ou débitos no saldo da sua conta. Mas qual é o equilíbrio adequado entre essas categorias? Em outras palavras, quanto os gastos de sobrevivência devem consumir de um orçamento saudável? Quanto você pode gastar com supérfluos? E quanto deve economizar todo mês?

O gráfico abaixo sugere o que seria um orçamento ideal:

R$ 8.530,00   R$ 8.390,00

- SOBREVIVÊNCIA — R$ 4.960,00 (59%)
- SUPÉRFLUOS — R$ 1.330,00 (16%)
- INVESTIMENTO — R$ 2.100,00 (25%)

Receitas   Despesas

Para analisar as fatias, como dissemos, considere o valor líquido dos seus rendimentos – aquilo que, efetivamente, pinga na conta. E não o salário bruto, que só vale no papel.

Digamos que descontados os impostos na folha de pagamentos, você tenha todo mês um crédito de R$ 6.000 no banco. Nesse caso, procure ajustar sua vida de tal forma a dedicar R$ 3.000 (50% do total) às despesas de sobrevivência. Aloque outros R$ 1.200 (ou 20%) para o lazer, restaurantes, cinema, passeios. E tente destinar uma fatia mensal de R$ 1.800 (30% da sua renda líquida) para os investimentos.

Quando fizer pela primeira vez seu orçamento financeiro, possivelmente perceberá que a divisão dos seus gastos é muito diferente das fatias aqui representadas. É provável que a parcela da renda que vai para investimentos – se é que ela existe – seja muito menor que 30%. A dos gastos de sobrevivência, possivelmente, chegue aos 70%. Mas calma! Esta divisão representa uma meta. Como o título desse subcapítulo explicita, este é o orçamento ideal. Não é fácil, mas é possível e desejável. Com o tempo, procure fazer o ajuste fino nas suas contas para se aproximar deste cenário.

2.6 No alvo... e longe dele

Certas atitudes e pequenos cuidados podem aumentar, e muito, a chance de sucesso no seu controle orçamentário. Vamos a eles.

NO ALVO!

8 FLECHADAS CERTEIRAS PARA SE DAR BEM NA HORA DE CONTROLAR SUAS FINANÇAS

Procure pagar as contas em dia. Juros, por menores que pareçam, sempre mordem um pedaço do seu orçamento.

Priorize as contas que tenham juros mais altos.

Se o seu orçamento não fecha e você precisa de empréstimo bancário, opte por um consignado.

Use o cartão de crédito com muito controle e cautela.

Analise o que pode ser cortado ou reduzido até que o valor se adeque ao planejamento ideal.

Se não há forma de adequar os gastos com sobrevivência, estude uma redução nos supérfluos.

Não corte os supérfluos radicalmente.

Se não sobra dinheiro para investir, é preciso repensar com urgência seus gastos como um todo.

Grave o mantra: pagar as contas em dia! Parece bobagem, mas os juros e multas, se somados, acabam pesando no seu orçamento. Então, por uma questão de organização, e para se poupar de gastos desnecessários, pague as contas dentro dos prazos previstos.

Se o atraso for inevitável, priorize as contas que tenham juros mais altos. Sim, o que não tem remédio remediado está. Pegue as contas na mão e analise. Conforme possa pagar vá direto às que impliquem em cobranças de taxas ou multas mais salgadas para os casos de atraso.

Numa situação ainda mais grave, em que você se complicou mesmo e o dinheiro não irá brotar na conta, apele para um empréstimo. Mas, se o seu orçamento não fecha e você precisa de empréstimo bancário, opte por um consignado.

O empréstimo consignado, por ter desconto de suas parcelas diretamente sobre a conta do beneficiado, acaba oferecendo juros mais baixos. Compensa, portanto, muito mais do que outras modalidades de crédito como o cheque especial, cujos juros são em média 8 vezes mais altos! O cheque especial só deve ser usado para casos em que você conseguirá repor o dinheiro muito rapidamente, em poucos dias.

Empréstimos com financeiras, então, nem pensar! Isso porque os juros são ainda mais exorbitantes. É a forma de compensar o fato de elas abrirem mão de uma série de exigências, como ter o nome limpo junto às instituições financeiras.

No caso do cartão de crédito, o uso tem de ser inteligente. Você pode utilizá-lo para as compras parceladas e até para pagar contas em atraso, mas jamais atrase o pagamento das faturas porque seus juros também são salgadíssimos! Por isso, use o cartão de crédito com muito controle e cautela. Se você está endividado, por exemplo, em vez de utilizá-lo para comprar roupas ou custear passeios, priorize o supermercado semanal.

Se seus gastos de sobrevivência estiverem acima dos 50% previstos sobre sua renda, analise o que pode ser cortado ou reduzido até que o valor se adeque ao planejamento ideal. Que tal buscar um supermercado mais em conta para fazer a compra do mês? Quem sabe rever o plano com sua operadora de celular por outro mais barato? E se você almoçasse no bandejão da empresa e deixasse para comer fora em ocasiões especiais? Ou por que não alugar sua vaga na garagem para abater no valor do condomínio, enquanto não compra um carro?

Se para sobreviver você está gastando mais da metade do seu orçamento, alguma medida deve ser tomada. Analise seus gastos, veja o que pode ser eliminado. O que é possível fazer para deixar você "respirar" financeiramente? Um gasto com sobrevivência muito alto implica em sacrificar a reserva para supérfluos e suspender qualquer investimento e, portanto, os projetos de um futuro próspero. É, sem dúvida, hora de parar e pensar com calma no que pode ser modificado de forma a deixar os rendimentos mensais mais livres para o seu uso de forma equilibrada.

Mas, se não há forma de adequar os gastos para sobrevivência, estude uma redução nos supérfluos. Que tal menos rodadas de pizza, menos sessões de cinema, menos roupas e sapatos?

Pise no freio com seus supérfluos. Reestude tudo o que tem gasto e planeje uma redução, ainda que isso implique em abrir mão de alguns hábitos. A dose não é agradável, mas um antibiótico mais forte por um tempo determinado às vezes é o que falta para liquidar a doença

No entanto, não corte os supérfluos radicalmente, pois o lazer é importante para dar o equilíbrio e tornar a vida mais saudável. Focar-se 100% em projetos futuros e deixar de aproveitar as coisas do cotidiano, mais dia menos dia, traz infelicidade. O ideal é poupar, sem deixar de aproveitar a vida. Então aposte mesmo nas adequações e nas reduções. Seja criativo e pense em soluções inteligentes que permitam o seu sagrado momento de descanso, sem comprometer os gastos demais para não prejudicar seu orçamento doméstico.

Se não sobra dinheiro para investir, você tem um sério motivo para repensar com urgência seus gastos como um todo. É muito sério chegar ao fim do mês sem dinheiro para pagar as contas básicas, mas também é muito preocupante não ter sobras de dinheiro para investir. Isso porque, se não há dinheiro, não há planos, nem projetos para o futuro e, pior, nem mesmo haverá uma reserva para casos de emergência.

Viver no limite dos rendimentos é uma prática muito ruim. Encare isso como um problema. Anote seus ganhos e seus gastos e observe o que está consumindo o seu dinheiro de forma desequilibrada e o que pode prejudicar a sua vida financeira. Analise e pense em medidas enérgicas. Encare a sua casa como uma cidade. Você é o prefeito ou a prefeita. Veja quais são as necessidades primordiais, o que pode ser substituído, o que pode ser eliminado.

E claro, todas essas etapas de cortes ou ajustes que estamos mencionando podem parecer difíceis em um primeiro momento, mas têm um objetivo maior. Que você consiga, em pouco tempo, reajustar sua vida financeira. Melhorar a saúde do seu bolso. Desanuviar seu horizonte pecuniário e entrar de vez na hora da prosperidade.

FUJA DO MICO!

OS DEZ ERROS MAIS COMUNS NO ORÇAMENTO FINANCEIRO PESSOAL

- Contar com dinheiro que não é certo.
- Não anotar os gastos.
- Esquecer uma conta pendente.
- Surpreender-se com a fatura do cartão de crédito.
- Usar o cheque especial sem ter dinheiro para cobrir rapidamente.
- Usar o cartão de crédito para supérfluos.
- Perder o controle do saldo disponível.
- Esquecer do cheque pré-datado que vai cair futuramente.
- Não se programar para as despesas de início de ano como matrícula escolar e impostos.
- Querer tudo e não entender que o planejamento se baseia também em renúncias.

Vimos neste capítulo os passos fundamentais para montar um bom orçamento. É uma etapa indispensável e fundamental para ter um vida financeira saudável. Antes de prosseguir, vamos recapitular as lições mais importantes que abordamos aqui.

CHECKLIST

LEMBRE-SE DOS PONTOS CRUCIAIS
DESTE CAPÍTULO!

Monte um orçamento financeiro, e personalize ele à sua realidade.

Seja disciplinado e mantenha o orçamento sempre atualizado.

Aos poucos, tente se aproximar do orçamento ideal: 50% sobrevivência, 20% supérfluos, 30% investimentos.

Faça adequações nos seus gastos até atingir o equilíbrio. Estude ajustes nas despesas com sobrevivência e, se necessário, corte temporariamente supérfluos.

Pague as contas em dia. Se não conseguir, use estratégias financeiras inteligentes para não deixar o problema crescer.

Lembre-se dos 10 erros mais comuns na hora de fazer um bom orçamento.

A ARMADILHA DA DÍVIDA

É melhor ir para a cama sem jantar do que acordar com dívida. – Benjamin Franklin

Todos os meses muitos brasileiros se atrapalham na hora de pagar as contas. É um problema comum, sem distinção de classe, sexo ou idade. Talvez aconteça com você também.

Se a falha for frequente, vai chegar uma hora em que será necessário pegar um empréstimo para quitar esses compromissos. Mas a indisciplina que levou ao acúmulo das contas também pode se repetir com o pagamento das dívidas. É o pior cenário possível!

Se as dívidas não são controladas e pagas rapidamente, elas passam a crescer em uma velocidade impressionante. Além de consumir sua renda, sugam sua saúde e seu bom humor. E podem ainda engolir seu nome. Com o nome sujo, fica mais difícil comprar qualquer coisa: carro, apartamento, casa, móveis ou até fazer um financiamento.

Com as finanças pessoais em frangalhos, dívidas se acumulando e o saldo da conta indo pelo ralo, consumidores acabam recorrendo ao dinheiro mais fácil, aquele que está ali, pré-aprovado e disponível 24 horas, como o do cartão de crédito ou o do cheque especial.

Modalidades como essas envenenam o futuro financeiro de qualquer um. E, em uma realidade de juros altos ao consumidor, como a que a vivemos no Brasil, o acúmulo de dívidas tem efeito similar a uma bola de neve rolando em sua direção. Para evitar que esse cenário se torne o diagnóstico da sua saúde financeira, vamos entender melhor a armadilha da dívida – e como sair dela. Mas, antes, falemos de juros.

3.1 O veneno dos juros

É da sabedoria popular que um mesmo princípio ativo pode agir para o bem ou para o mal. A dose de um elemento pode resultar no remédio que cura ou no veneno que mata. Com os juros, a história é parecida.

A diferença entre os juros que o banco cobra quando você toma dinheiro emprestado e o que ele paga quando você aplica, é gigantesca. Além de já ter ouvido isso uma dezena de vezes, você já deve ter sentido o efeito na pele – ou no bolso. Mas, de fato, sabe qual é o tamanho dessa diferença?

No Brasil, os juros de empréstimo pessoal são incrivelmente altos comparados com qualquer país do mundo. Isso se deve a uma série de fatores. Riscos específicos do país, altos impostos, histórico de indexação, inadimplência e até mesmo caixas eletrônicos destruídos em protestos entram na conta. Por outro lado, há quem questione esses elementos e veja chaves diferentes para juros tão peculiares da economia brasileira.

Ainda assim, os juros do empréstimo pessoal, por mais paradoxal que isso soe, parecem até pequenos quando analisados com outras modalidades que temos por aqui, como o cheque especial ou o rotativo do cartão de crédito.[8]

TAXA AO ANO

Poupança	Emprestimo Pessoal	Cheque especial	Cartão de crédito
6.30%	48.00%	152.00%	218.00%

Se a gente comparar esses percentuais com o que paga o investimento mais popular do país – a poupança – o resultado fica quase risível. Uma dívida no cartão de crédito se multiplica a uma taxa de 218% ao ano em média. Uma aplicação na poupança rende pouco mais de 6%.

Em outras palavras, isso significa que se você tivesse uma dívida de R$ 1.000 no cartão de crédito, e não a pagasse por seis anos, ela se transformaria em uma bomba financeira de R$ 1 milhão! Por outro lado, se você investisse uma única vez R$ 1.000 na poupança, para que esse dinheiro se transformasse no mesmo milhão, só nascendo de novo: demoraria 114 anos!

#FICAADICA!

Cuidado ao utilizar um empréstimo. Dinheiro fácil é dinheiro caro. E quanto mais fácil, mais caro. Só use um crédito se souber quanto ele vai custar e se tiver um plano claro de como e quando quitá-lo.

8%
é a taxa mínima de juros cobrada ao mês quando se paga o valor mínimo da fatura do cartão de crédito.[9]

3.2 Fique sempre atento ao custo efetivo total (CET)

Você se lembra: já mencionamos essa sigla lá no começo do livro, quando falamos de imóveis. Mas ela é importante para toda e qualquer dívida.

Segundo o Banco Central, "o CET corresponde a todos os encargos e despesas incidentes nas operações de crédito e de arrendamento mercantil financeiro, contratadas ou ofertadas a pessoas físicas, microempresas ou empresas de pequeno porte". Em outras palavras, é isso que importa na hora em que você está tomando um empréstimo! Quanto, afinal, esse dinheiro vai custar? É isso que o CET procura revelar – e que todo banco é obrigado a informar. Quanto menor o CET do crédito, a princípio, menos danoso e mais "barato" é este empréstimo para você e seu bolso.

O que é o CET?

Para que o consumidor pudesse ter conhecimento detalhado sobre os custos das operações de crédito em valores e percentuais, desde março de 2013 tornou-se obrigatória a divulgação da composição dos custos em todas as operações de crédito.

O CET, ou Custo Efetivo Total, deve sempre especificar o nome de cada despesa acrescentada à operação e o percentual que cada uma representa. Até então, em muitos casos eram embutidas as cobranças de tarifas e seguros, sobre as quais o consumidor não era informado.

Enquanto consumidor, como devo proceder para ter mais controle sobre o crédito que utilizo?

Sempre peça para analisar as cobranças que estão no contrato (o que exige bastante paciência). Se houver dúvidas, pergunte, especialmente quando as cobranças constarem como uma obrigatoriedade. Ao aceitar o crédito, faça questão de uma cópia do contrato e guarde-a para que possa consultar com facilidade, caso seja necessário. Se considerar que foi feita alguma cobrança indevida, o consumidor pode acionar o Procon mais próximo para pedir ajuda e verificar se realmente está ocorrendo uma irregularidade.

71,94% ao ano
é a taxa de juros média cobrada no comércio brasileiro.[10]

3.3 Por que é tão caro?

O termo "custo Brasil" é usado largamente na linguagem dos economistas. Mas para o consumidor comum, às vezes, fica difícil entender exatamente o que significa esta expressão.

O fato é que ela explica algumas coisas, desmistifica outras e daí a importância de sua compreensão para analisar com mais propriedade o cenário econômico e as responsabilidades dos agentes – no caso bancos, empresas, governos e você, consumidor.

O "custo Brasil" é a soma de todos os fatores estruturais, logísticos, econômicos e burocráticos, que reduzem a eficiência da indústria e que acabam se refletindo no preço do produto final. Aliás, ele é apontado como o grande fator de encarecimento de bens e serviços no país.

Os preços cobrados por aqui são assombrosos se comparados à grande maioria das economias no mundo. E isso nós e você, leitor, vemos dia a dia quando compramos qualquer coisa. Seja na gôndola do supermercado, na loja de decoração, no empório ou na hora de montar a adega. Quando a etiqueta analisada é a dos eletrônicos então, nem se fala.

Além das taças de várias copas do mundo, o Brasil detém alguns outros títulos – esses menos gloriosos: O iPhone mais caro do mundo. O 5º Big Mac mais caro do planeta. As roupas mais caras nos países onde a rede varejista Zara atua. O Playstation mais incomparável da Terra, custando quatro vezes mais que o mesmo console nos Estados Unidos.

Até certo ponto o "custo Brasil" pode, sim, ser responsabilizado por parte desses títulos ignóbeis da nossa economia. Porém, isso não é tudo. Sabemos que os empresários sofrem com as altas taxas de juros, a burocracia estapafúrdia, a inflação azeda. A morosidade, por exemplo, é uma ducha gelada nos negócios. De acordo com informações do Banco Mundial, para criar um novo empreendimento no Brasil a demora é de 119 dias. Na China 38. Rússia, 30. Na Argentina, o empreendedor leva 26 dias. África do Sul, 19. Uruguai, apenas sete! Canadá 2, Austrália 1. Enquanto isso, o custo estimado para abrir uma empresa aqui é duas vezes maior que na Índia. 3,5 vezes maior do que na África do Sul. Sete vezes maior que na China.

Tudo isso, obviamente desestimula e muito o empresariado a continuar investindo e crescendo. Quem não tem negócio pensa duas vezes antes de abrir um. Quem já tem pensa duas vezes antes de tentar expandir. O "custo Brasil" faz com que os empresários sintam uma insegurança paralisante.

Mas é preciso entender que, apesar do cenário de dificuldades, o empresário brasileiro, normalmente, não é um mártir do mercado. Como em qualquer lugar do mundo, a meta é o lucro. É natural que seja assim, e é o que você faria se estivesse no lugar dele. O preço final é resultado do equilíbrio (ou falta dele) entre oferta e demanda.

Quando um empresário cita o "custo Brasil" para justificar a alta de seus produtos, é preciso cautela na interpretação. Empresários que conseguem sobreviver às dificuldades do mercado costumam aproveitar para tirar sua casquinha da economia e morder com vontade o bolso do consumidor. É o que não tem nome oficial, mas bem que poderíamos chamar, extraoficialmente, de "lucro Brasil". E o "lucro Brasil" não é nada modesto.

Os serviços de telefonia, TV por assinatura ou banda larga são exemplos de eficácia na cobrança ao consumidor, no entanto estão na lanterna quando se fala em qualidade. Na indústria automobilística também não é infrequente ver turistas brasileiros inconformados ao viajar para os Estados Unidos ou Europa e constatar que o preço de um carro popular aqui é suficiente para comprar um de luxo por lá.

As causas dos preços abusivos pelo "lucro Brasil" podem ser muitas, porém a mais conhecida e plausível está vinculada à falta de concorrência no mercado – um dos muitos efeitos negativos de escolher uma política econômica protecionista, com baixo índice de trocas (via importações e exportações) com o resto do mundo. Ou seja, se houvesse mais empresas oferecendo o mesmo serviço ou produtos similares por aqui, o consumidor, certamente, se tornaria menos refém do que é hoje, e poderia encontrar preços mais justos, com qualidade mais apropriada e variedade maior.

O fato é que você, enquanto consumidor, precisa conhecer e interpretar a realidade para não ser ludibriado facilmente. Neste cenário de "custo Brasil" e de "lucro Brasil" – resultados de escolhas e políticas econômicas de muitos anos somados – quem tende a pagar caro é sempre você.

3.4 Descontos: realidade ou coisa para inglês ver?

Para o consumidor, uma das dúvidas mais cruciais e presentes no dia a dia é a de pagar ou parcelar as compras. Acontece que, apesar de estar presente no inconsciente coletivo, pasme: a compra à vista nem sempre é a mais vantajosa para o consumidor! É isso mesmo. E talvez essa afirmação seja diferente de tudo o que você já ouviu sobre finanças pessoais até hoje.

Mas calma! Nada de sacar o cartão e sair parcelando tudo que for comprar de agora em diante. Via de regra, a compra à vista tem dois efeitos muito positivos. Em primeiro lugar, o desconto! Você consegue negociar e pagar menos pelo mesmo produto. Segundo, a facilidade de controle, já que o impacto aparece direto e na hora no saldo bancário. A menos que você já seja um craque no controle orçamentário, esse aspecto tende a ser muito benéfico e extremamente relevante.

Por outro lado, o desconto muito baixo pode tornar o pagamento à vista desinteressante. Quando você for fazer uma compra, valorize o seu poder de pagamento em uma tacada e tente negociar abatimentos efetivos. Se for para desembolsar um valor parecido com o que pagaria a prazo, é bom reavaliar as alternativas.

8 PASSOS PARA SABER QUANDO UM DESCONTO VALE A PENA

Passo 1: Pegue o valor à vista e some todas as taxas extras que poderão ser cobradas.

Passo 2: Anote também o valor das parcelas (na opção de compra a prazo) e multiplique pelo número delas.

Passo 3: Veja qual é a diferença entre o valor à vista e o total projetado para pagamento parcelado.

Passo 4: Para que o preço à vista seja considerado vantajoso, ele precisa ter um desconto superior ao rendimento de um investimento conservador como a caderneta de poupança.

Passo 5: O rendimento da caderneta hoje gira em torno de 0,5% ao mês.

Passo 6: Se o desconto não ultrapassar o rendimento da poupança, não vai valer a pena você pagar à vista.

Passo 7: As mesmas regras também devem ser usadas para avaliar o pagamento à vista ou parcelado de impostos como o IPTU (Imposto Predial e Territorial Urbano) e o IPVA (Imposto sobre Propriedade de Veículos Automotores).

Passo 8: Para que tudo isso faça sentido, é claro, você precisa usar o dinheiro que sobrou com o parcelamento... e investir!

Para entender melhor, vamos dar um exemplo. Imagine que você tenha ido a uma loja de eletrônicos comprar uma TV de LED novinha para colocar naquela parede especial da sala. O futebol de domingo, a novela, o telejornal, o Conta Corrente! Agora tudo vai ficar mais nítido e maior na sua televisão zero bala. E chega a hora de negociar o preço. O vendedor te dá as opções.

Valor na etiqueta: R$ 3.000.

À vista: R$ 3.000 (sem desconto).

A prazo: 10 parcelas de R$ 300, sendo a primeira no ato

Fazendo as contas... Juros de 0%! (R$ 3.000 à vista = 10 x R$ 300 a prazo).

Rendimento da poupança: 0,5%.

Conclusão: Nesse caso, o melhor é financiar, já que a taxa de juros é zero. Ou seja, se você investir os R$ 3 mil que já tem no bolso e pagar as parcelas mensais, ao final dos 10 meses terá mais dinheiro, graças ao rendimento da aplicação.

Mas digamos que você não tenha ficado convencido. Por qualquer motivo não gostou do vendedor, ou quer ver o mesmo modelo de TV na concorrência. Chegando lá, uma vendedora te atende. Para sua surpresa, o preço é o mesmo. Mas as condições de pagamento mudaram.

Valor: R$ 3.000.
À vista: 10% de desconto (R$2.700).
A prazo: 10 parcelas de R$ 300 (Total, R$ 3.000).
E agora? Será que a conclusão é a mesma?

Para ajudar a achar a resposta e fazer as comparações, montamos uma tabela de quanto deve ser o desconto mínimo no pagamento à vista, em relação às diversas opções de parcelamento. Mais uma vez, consideramos os juros da aplicação mais popular, conservadora (e uma das menos rentáveis) do mercado, a Poupança (aproximadamente 0,5% ao mês).

PARCELAS	DESCONTO À VISTA
2	0,25%
3	0,50%
4	0,74%
5	0,99%
6	1,24%
7	1,48%
8	1,72%
9	1,97%
10	2,21%
12	2,69%
24	5,52%
36	8,24%
48	10,85%
60	13,36%

Juros podem estar embutidos no preço. Se o desconto é maior, geralmente os juros embutidos são maiores. Veja se em outra joja o preço à vista não é mais barato

A leitura da tabela funciona assim. Se o produto que você for comprar em, digamos, 5 vezes tiver um desconto à vista de pelo menos 0,99%, já vale a pena pagar de uma vez. Se comprar um carro em 36 meses, o desconto para que o pagamento à vista valha a pena precisa ser maior que 8,24%, caso contrário será melhor aplicar o dinheiro na poupança e pagar as parcelas mês a mês.

Assim, voltando agora ao exemplo do televisor, o melhor é sem dúvida comprar à vista, afinal, o desconto de 10% é muito maior do que a rentabilidade que você teria investindo o dinheiro pelo mesmo período.

E um último conselho. Se a taxa de desconto for muito próxima à do investimento, e se você não for ainda um craque da organização no orçamento, seja conservador. Não arrisque, e prefira o pagamento à vista. Enquanto aprimora suas habilidades financeiras, é melhor evitar as pequenas arapucas que podem atrapalhar o controle e causar danos ao seu bolso lá na frente.

#FICAADICA!

Quando um vendedor diz que o parcelamento é "sem juros", a realidade tende a ser um pouco diferente. A questão é que os juros já estão embutidos no preço! Assim, antes de fechar uma compra, principalmente de valor mais significativo, pesquise em duas, três, quatro lojas. Investigue os valores na internet. O mesmo produto pode sair bem mais em contra com outro vendedor, disposto a dar à vista o abatimento que seu bolso merece!

VILÕES

OS 7 PECADOS FINANCEIROS QUE DESTROEM A SAÚDE DO SEU BOLSO

Não fazer um orçamento doméstico.

Comprar por impulso.

Incorporar linhas de crédito nos gastos.

Fazer dívidas mais caras do que pode pagar.

Fazer empréstimos consecutivos.

Deixar as dívidas "rolando", sem negociação.

Não priorizar o uso dos ganhos extras, como o 13º salário, para a quitação de dívidas.

3.5 Os 7 pecados financeiros

Falamos de juros, custo Brasil e descontos. Agora, vamos mergulhar mais a fundo na experiência da dívida para aprender a não cair nessa armadilha. Em primeiro lugar é importante conhecer os erros, os pecados financeiros que jogam você no caminho do endividamento:

O primeiro erro grave é não fazer um orçamento doméstico. Sem conhecer o terreno, fica difícil combater na trincheira da guerra! Se você não tem um controle, o simples ato de abrir uma fatura de cartão de crédito pode significar uma surpresa e o começo do sufoco. Um descontrole, que pode levar meses ou até mesmo anos para ser consertado. Procure traçar um raio-X de como anda sua situação financeira. Inclua tudo que você paga e tudo o que você recebe. Despesas fixas e variáveis. E mantenha o controle atualizado. Deixe a preguiça de lado. Você verá logo como vale a pena. Mantenha o controle e tenha o seu orçamento à mão, sem surpresas.

O segundo pecado é comprar por impulso. O ser humano é muito menos racional do que parte da teoria econômica ou dos livros sugere. É comum ir ao shopping e gastar mais do que se esperava. Mas é você quem deve tentar controlar os impulsos, e não ser controlado por eles.

Saia com o dinheiro contado ou com a meta de um valor máximo que pode gastar. Lembre-se de que toda escolha é também uma renúncia. Ao comprar uma TV de R$ 3 mil, você está escolhendo deixar de ter outro bem desse valor (ou até de investir na sua aposentadoria). Isso não significa que deva viver de forma monástica no alto de uma montanha para gastar menos! Mas saiba qual é o custo e o benefício. Esteja ciente da renúncia que está fazendo em decorrência do seu consumo. Reflita se realmente vale a pena. Se valer, vá em frente!

Cuidado para não incorporar linhas de crédito aos gastos. Dinheiro que brota do cheque especial ou do cartão de crédito não deve nunca fazer parte da sua renda disponível. É um dinheiro que está ali... para não ser usado! O custo é proibitivo. O mesmo acontece com outras modalidades (embora com taxas de juros menores), como empréstimo pessoal ou consignado. Não use esses recursos como parte da renda para os gastos do mês. Pense que estas linhas de crédito sempre têm custo elevado e só devem ser acionadas em último caso, numa situação de real emergência ou quando você precisa renegociar suas dívidas, trocando as mais caras por outras menos custosas.

Evite fazer dívidas mais caras do que você pode pagar. Parece óbvio, mas, antes de assumir uma nova conta, some tudo aquilo que você já tem para arcar. Será que a soma das dívidas não vai ultrapassar o valor do seus rendimentos mensais? Fazer compras parceladas é uma verdadeira "pegadinha" neste sentido. O consumidor compra hoje um sofá em várias vezes, mas, quando está calculando, se esquece de que já tem de pagar outras parcelas como as do financiamento da casa, do carro, da viagem de Natal...

É tanta parcela para pagar que, ao final, não é difícil perceber que a conta não fecha e que o calote será inevitável com algum destes compromissos assumidos. Por isso, é fundamental pôr tudo na ponta do lápis e verificar se, de fato, vai haver dinheiro para pagar todas as contas e no prazo certo. Caso isso não seja uma realidade, é melhor se conter e adiar a compra.

O quinto vilão é o hábito de fazer empréstimos consecutivos. Esta é uma prática que deveria causar arrepios no consumidor! Se um empréstimo acaba sempre sendo um transtorno, imagine vários! Tomar dinheiro não é o fim do mundo, mas pode te deixar mais próximo de outros empréstimos! É sempre uma operação muito delicada, que exige contas e cuidado.

Em vez de ficar devendo para o cartão de crédito ou para o cheque especial, vale a pena, por exemplo, fazer um empréstimo consignado para se obter juros mais baixos. O dinheiro deve ser utilizado 100% para a quitação das dívidas e as parcelas devem ser avaliadas de forma que caibam dentro do orçamento do consumidor, sem deixá-lo no limite. Pegar empréstimos à revelia é um sinal gritante de que já passou da hora de parar, refletir e tomar atitudes drásticas, pois o poder de organização não está correspondendo à necessidade que o seu bolso demanda.

E lembre-se: quanto menos exigências o credor fizer, mais alto serão os juros cobrados! Como se diz em economia, não existe almoço grátis. Financeiras que não cobram o nome limpo, por exemplo, tendem a jogar as taxas para a lua, obtendo lucros altíssimos e sacrificando a vida financeira do consumidor.

Jamais pense em deixar as dívidas "rolando", sem negociação. Quem deve, teme (ou deveria temer)! Os bancos, instituições financeiras, lojas, supermercados e até mesmo as entidades de ensino particulares (pasme!) são implacáveis na cobrança de juros. Você deve R$ 1.000 hoje, mas com juros e multas, no ano que vem que vem pode estar devendo R$ 3.300. E daqui dois anos quem sabe ter uma dívida de quase R$ 11.000.[11] Deixar as dívidas rolarem, sem ao menos buscar uma negociação que barre a cobrança de juros, é um comportamento altamente perigoso e custoso.

Procure sempre a instituição para a qual está devendo e faça uma proposta daquilo que é possível pagar, sem apertar demais o seu orçamento. Tente parcelar.

Jamais finja que a dívida não existe. Isto tira a razão do consumidor e complica ainda mais aquilo que já é complexo. Caso já tenha se passado um tempo, corra atrás do mesmo jeito. Não pague todos os juros que a instituição lhe informa inicialmente. Bata o pé, negocie. Quanto antes você aparecer, maiores as chances de conseguir uma negociação saudável e evitar cobranças abusivas.

O sétimo e último pecado financeiro da nossa lista é não priorizar os ganhos extras – como o 13º salário – para a quitação de dívidas. Este é o típico problema de quem não reconhece seus próprios erros. O 13º no fim do ano, a restituição do Imposto de Renda, o dinheiro de um trabalho extra ("freela", "bico"), ou até mesmo o resgate de uma aplicação devem ter como prioridade máxima as dívidas ainda em aberto.

Dinheiro "a mais" não pode ser considerado como um extra quando estamos endividados. Seja racional. Antes de usar as notas para dar uma volta no shopping, use os valores para amenizar e, se possível, quitar a sua dívida. Você pode não usar seu dinheiro livremente agora, como gostaria, mas certamente estará conquistando a liberdade de fazer muitas outras compras no futuro.

3.6 Como sair do buraco?

"Tarde demais! E agora?" – você pensa.

RUMO CERTO!

7 PASSOS PARA SAIR DO BURACO

Renegocie as dívidas.

Troque dívidas caras por baratas. (Sim, isso é possível.)

Junte tudo em um só credor (evite ficar devendo para várias instituições ao mesmo tempo).

Use a portabilidade de crédito.

Faça uma força-tarefa.

Fuja das tentações.

Seja duro, sem perder a ternura.

Talvez já tenha cometido um ou vários dos pecados financeiros que mencionamos. E, dependendo da intensidade, isso pode ter feito com que mergulhasse em dívidas. Se esta é sua situação atual, fica a pergunta: o que fazer agora?

201%

é a taxa de comprometimento da renda com dívidas para 25,6% dos brasileiros da classe C.[12]

Vamos ver alguns passos importantes para sair dessa areia movediça do endividamento, onde quanto mais tempo você fica, mais afundado está.

Negocie e, se necessário, renegocie as dívidas. Não é só você que quer pagar a conta, o credor também quer receber! E, como é melhor ter pouco que nada, muitos acertos são interessantes para as duas partes deixarem as dívidas para trás.

Em negociações realizadas pelo Procon, por exemplo, as reduções variam caso a caso. Às vezes 10%, em outras 30%, 50% ou até mais.

A equipe de reportagem do Conta Corrente acompanhou duas negociações: em uma delas, a dívida de um consumidor de São Paulo passou de R$ 17.940 para R$ 11.250, sendo paga em 45 parcelas de R$ 250. Ou seja, uma redução de 37%. Em outro caso, a surpresa foi ainda maior. A dívida de R$ 5.110 despencou para R$ 885. Uma redução de 82,6%, graças ao pagamento do saldo total em uma só tacada (ou tacadinha...). Segundo o Procon-SP, de cada 10 encontros para negociação, três chegam a um acordo.

Troque dívidas caras por baratas. Se você deve no cartão de crédito ou no cheque especial – modalidades que têm os juros mais caros do mercado – não pense duas vezes em fazer um empréstimo bancário convencional (pessoal) para quitá-las.

Isto porque o empréstimo comum costuma ter juros mais baixos, o que invariavelmente significa uma redução de custos para o consumidor. No caso dos empréstimos consignados, os juros caem ainda mais. Neste caso, o importante é fazer cálculos para verificar se as parcelas não ficarão muito pesadas, visto que o desconto acontecerá diretamente sobre sua folha de pagamento.

Junte tudo em um só credor. Quando temos dívidas com vários bancos, lojas, cartões de crédito, fica ainda mais difícil ter um controle efetivo sobre os gastos. As dívidas espalhadas tornam a nossa vida financeira ainda mais confusa e estressante.

Uma saída considerada mais saudável psicologicamente, mas acima de tudo financeiramente, é a de centralizar as dívidas em uma única instituição. Mas... Como? Fazendo um empréstimo com juros baixos, por exemplo, é possível quitar todas as pendências e ficar devendo um único valor (que pode ser parcelado) para uma única instituição.

A centralização da dívida significa maior poder de renegociação e muito mais controle sobre o valor a ser pago. Fica mais fácil saber quanto você está devendo, para quem e até quando.

Faça uma força-tarefa. Sair das dívidas exige esforço, dedicação, mas, acima de tudo, uma ação orquestrada – ou em outras palavras – uma força-tarefa. De nada adianta deixar de fazer um curso de francês para economizar e não resistir às queimas de estoque da loja de departamentos a cada passeio de sábado pelo shopping.

Também não adianta nada ficar com dó de pagar o dobro do preço no ketchup importado do supermercado e acabar gastando quase um salário-mínimo com a família no rodízio do restaurante mexicano. As ações de economia devem ser bem "amarradas" para que possam ter um peso efetivo nas contas ao final do mês.

Quem está endividado deve, sim, adotar um sistema de vida mais simples e abrir mão – ainda que por um breve intervalo de tempo – de alguns supérfluos. É importante que amigos e familiares também colaborem nessa força-tarefa. Quem descasca cebola sozinho, chora para caramba! Para contar com esta colaboração, é sempre bom ser sincero, compartilhar que precisa de ajuda para economizar e conseguir reorganizar as finanças. A maioria das pessoas costuma compreender e contribuir, sugerindo, por exemplo, programas mais baratos.

É possível trocar o cinema pelo filme no apartamento com pipoca de micro-ondas. Trocar a comida italiana da cantina pela massa caseira. A viagem para uma praia paradisíaca por uns dias no litoral mais perto de casa e menos badalado. E por aí vai. São sacrifícios temporários, mas valiosos e inevitáveis para quem está a fim de remodelar a vida financeira.

Além disso, em guerra, qualquer buraco é trincheira. Procure a melhor delas. Em outras palavras, use a portabilidade de crédito. Assim como acontece com os planos de celular, você pode migrar sua dívida de um banco para outro. Faça o esforço e a chata peregrinação de ir até diversas agências, e veja a possibilidade de trocar de credor, ficar devendo para um banco em vez de outro. Pegue e compare todas as propostas e taxas. Na prática, é como um leilão às avessas: quem oferecer o menor valor total leva!

PORTABILIDADE DE CRÉDITO

O QUE É E COMO FUNCIONA

A portabilidade de crédito é o direito que o consumidor tem de transferir empréstimos ou financiamentos de um banco para outro em busca de juros menores. Para que isso aconteça o novo banco, para onde ele irá migrar a dívida, deve liquidar o montante devido junto à instituição anterior. O banco com o qual você tem a dívida inicialmente é obrigado a atender o seu pedido, caso você queira fazer a portabilidade.

A migração da dívida, no entanto, não significa alterações no saldo devedor e no prazo para o pagamento das parcelas. O que muda são os juros.

Para verificar se vale a pena ou não a portabilidade, o consumidor deve pedir um relatório de sua dívida junto ao banco onde o saldo foi adquirido. Depois deve procurar outros bancos e pedir uma simulação, exigindo inclusive que sejam somadas todas as taxas e cobranças que estarão embutidas no preço (o chamado Custo Efetivo Total). Depois disso, basta comparar o CET e analisar se o valor das parcelas a serem pagas teria alguma redução. Se houver redução em alguma das propostas, isso significa que houve incidência menor de juros e que, portanto, compensa fazer a portabilidade.

É importante ainda entender que o consumidor tem direito a todas as informações de sua dívida para poder fazer pesquisa de portabilidade em outros bancos. Após um pedido de informação, o banco que hoje detém a dívida deve fornecer em até 24 horas os seguintes dados: valor das prestações, encargos, data do último vencimento, número do contrato, saldo devedor atual, taxa de juros anual, nominal e efetiva, prazo total e remanescente, sistema de pagamento/amortização e demonstrativo da evolução do saldo devedor.

O sexto passo para sair do buraco é fugir das tentações. Está sem dinheiro ou está com toda a renda comprometida com contas que irão chegar? O último lugar do mundo para onde você deve se dirigir, no final de semana entediante, é o shopping! Eles são, como todos nós sabemos, lugares extremamente confortáveis, com ar condicionado e pouca luminosidade natural, para que você justamente se esqueça das horas e relaxe, dando voltas e ficando exposto a todos os tipos de produtos e serviços imagináveis, tanto os que você precisa, quanto os que não precisa. A ideia do shopping e de qualquer outro centro comercial é sempre fazer você gastar. Por isso, quem está endividado precisa pensar em alternativas para fugir das tentações.

O aluguel de uma bicicleta em um parque da cidade, por exemplo, sairá no máximo por R$ 20 e promoverá momentos divertidos, saudáveis e, principalmente, mais econômicos do que um dia de compras pulando de loja em loja. Um sorvete na gelateria mais badalada da cidade também pode ser um passeio saboroso, sem que para isso você saia carregado de sacolas (e débitos na conta).

A mesma regra vale para as feirinhas de artesanato ou antiguidades. Evite estes lugares e poupe a si mesmo da fadiga. Uma vez que você está num local propício às compras, inevitavelmente ficará sujeitado ao consumo do qual está fugindo. Nessa fase de ajuste da saúde do seu bolso, procure evitar.

Por fim, seja duro, sem perder a ternura. Se você prestar atenção ao que dizem as nutricionistas para alguém que quer fazer regime, aprenderá muito sobre nós, seres humanos.

Nada que é radical demais funciona, por isso elas geralmente falam que você não precisa cortar 100% uma comida gordurosa de que gosta ou aquele docinho insubstituível. Basta reduzir quantidades ou se dar este prazer esporadicamente.

De forma semelhante, também é possível encontrar uma vida mais equilibrada financeiramente, sem perder o prazer de comprar. Não existem regras gerais que valham para todo mundo com peso igual. No entanto, cada consumidor pode parar, refletir e chegar às suas próprias conclusões.

Aquele restaurante japonês que você costuma frequentar e cuja conta não sai por menos de R$ 100 por pessoa pode ser deixado de lado na sua rotina. Sim, sempre pode. Então, risque-o de sua agenda.

Mas e se ele for o ponto de encontro de profissionais da sua área e puder lhe render bons contatos para o presente ou para o futuro? E se ele for o seu restaurante preferido, com o sushi com que você sonha diariamente em consumir tamanho o capricho da cozinha? Você não precisa abrir mão completamente de frequentar este restaurante, mas terá que reduzir suas visitas a ele. O jeito é se organizar e pensar em uma equação que equilibre quantas vezes você gostaria de ir a este estabelecimento, sem que isso prejudique a sua performance financeira.

De repente, uma vez a cada 15 dias é uma boa solução, com uma reserva de R$200 ao mês para isso. O segredo para que a estratégia funcione é se lembrar de que, uma vez que a cota do mês foi gasta, não se pode mais ir ao local novamente. E, neste caso, não abra exceções. É com um calendário equilibrado e um controle rigoroso que se torna possível uma vida financeira de qualidade, sem se privar dos pequenos prazeres do dia a dia.

61%

da população brasileira declararam ter dívidas com cartão de crédito, empréstimo, financiamento de carro ou carnê de loja.[13]

Se já falamos sobre os principais erros que levam ao endividamento e as estratégias para sair do buraco, é hora de olhar para a frente. Vamos ver agora alguns tiros certeiros que ajudam a garantir a saúde do bolso e a evitar novas dívidas, para que o problema não se repita.

A CARTILHA

5 REGRAS PARA MANTER UMA VIDA FINANCEIRA SAUDÁVEL

Nunca gaste mais do que ganha.

Pague as contas em dia.

Mantenha seu orçamento atualizado.

Mude seus hábitos e reflita: "preciso mesmo disso?"

Tenha projetos e concentre-se neles.

Parece fácil, mas não é. Todo mundo conhece a máxima "nunca gaste mais do que ganha", porém, na hora de colocá-la em prática, as coisas sempre se complicam. Isso acontece basicamente por dois motivos: porque não temos conhecimento e controle de quanto temos à disposição efetivamente, e também porque nosso lado irracional nos torna presas fáceis diante de um universo imenso de produtos e serviços à venda para nos conquistar.

Manter o orçamento atualizado é, sem dúvida, a medida certa para fincar os pés no chão, absolutamente cientes de quanto temos na conta do banco e quanto podemos gastar.

Sobre as irracionalidades que cometemos quando o assunto é compras, é preciso treino e esforço para não cair em tentação. Até mesmo as pessoas mais centradas costumam reclamar de terem comprado coisas que jamais irão usar.

Dessa forma, como já dissemos anteriormente, se a sua situação financeira está apertada, talvez seja interessante fugir temporariamente dos shoppings e feirinhas. Quando estiver convencido de que quer comprar algo, principalmente de valor significativo, dê um tempo, pense com calma antes de bater o martelo. Pergunte a si mesmo se realmente precisa daquilo que está comprando, se irá usar e se precisa comprar exatamente agora. Caso a resposta seja "sim", é o caso de se autoquestionar se aquela compra irá se adequar ao seu orçamento sem estragar seu projeto pessoal de manter as finanças em dia e ainda poupar para poder executar planos maiores (como a compra de um imóvel ou uma viagem muito sonhada) no futuro.

Mais uma vez, quando se preconiza pagar as contas em dia, parece que estamos falando de algo muito óbvio. Não é verdade. E mais uma vez esbarramos na questão da organização e do planejamento.

Manter as contas quitadas mês a mês, guardar recibos, evitar juros e multas são algumas das medidas essenciais para colaborar com a organização do seu orçamento. Uma boa dica é tentar colocar as contas em débito automático, assim o pagamento sempre acontecerá na data correta e você terá menos preocupação. Ainda assim, lembre-se de verificar o valor que foi cobrado e anotá-lo no seu aplicativo, planilha ou controle de gastos.

Não deixe para amanhã o que pode fazer hoje. Mantenha controle sobre as contas que estão vencendo, planeje os pagamentos e poupe seu bolso de gastos extras. A multa de um aluguel de imóvel, por exemplo, gira em torno de 10% sobre o valor total da locação. Isso significa, na prática, que atrasar um aluguel de R$ 2.000 pode implicar em pagar uma multa de R$ 200. Este dinheiro seria suficiente para quitar outras contas menores como água, luz ou telefone. Mas, evidentemente, também poderia colaborar de forma significativa para amenizar contas com valor um pouco maior, como a do condomínio, por exemplo.

Por isso, insistimos na tecla: mantenha seu orçamento atualizado. Quem consegue ter as rédeas das próprias contas também consegue ter mais consciência na utilização de seus recursos. A organização é fundamental para que você saiba exatamente o que está fazendo cada vez que para na padaria para tomar um cafezinho ou que compra um jornal na banca.

"SÓ UM CAFEZINHO E UM PÃO NA CHAPA"

Você pode dar risada pensando... "bobagem! Qual é o impacto que algumas moedas têm na saúde do meu bolso? Qual é o problema de um cafezinho e um pão na chapa todo dia? É tão baratinho!". Pois bem. Problema nenhum. É uma delícia mesmo, concordamos! Mas problema nenhum... desde que você saiba a renúncia que isso implica. O importante não é economizar a todo custo. É ter conhecimento financeiro do que você ganha ou deixa de ganhar ao tomar uma atitude específica para o seu bolso.

No caso do café e do pão na chapa, por exemplo, o custo dessa dupla em uma padaria padrão de uma grande cidade é de aproximadamente R$ 6,00. Se você investisse essa mixaria todo santo dia durante 39 anos e 4 meses em uma aplicação conservadora, como títulos do Tesouro Direto, teria um saldo de R$ 1.000.000,00 na conta![14]

Simples reflexões fazem com que você adote automaticamente comportamentos mais maduros, racionais e inteligentes. Por isso, seja corajoso e, antes de sair comprando loucamente, mude seus hábitos e reflita: "Preciso mesmo disso?"

Quantas e quantas vezes ouvimos relatos de pessoas ao nosso redor arrependidas de uma compra? As técnicas de convencimento para o consumo passam por pesquisas mercadológicas, análise do perfil, estratégias amplamente estudadas desde a abordagem dos vendedores até a disposição das peças, dos corredores, das cores, e a ótima qualidade das imagens nas propagandas, catálogos e sites de compras.

Não se sinta culpado. A sedução do mercado atingiu níveis de aprofundamento e sofisticação poderosos. A grande sabedoria do consumidor consciente consiste, exatamente, em perceber as manobras de sedução e tentar se desviar para que possa avaliar com clareza aquilo que realmente é importante e necessário.

Outra forma de falar sobre essa mesma questão, é a abordagem do "quanto isso me custa?". E aqui não estamos nos referindo ao valor em si, cinquenta, cem, quinhentos, mil reais. Mas se transformarmos o bem que você pretende comprar em tempo, em esforço de trabalho, a quanto ele equivale?

Por exemplo. Digamos que você tenha um salário líquido de R$ 7 mil, e que trabalhe 8 horas por dia durante 22 dias úteis do mês. Fazendo as contas...

R$ 7.000 / (8 x 22) = R$ 39,77 por hora

Ou seja, para cada hora de trabalho duro (e você sabe que não é moleza trabalhar uma hora!) você ganha R$ 39,77. Mas para que serve saber isso? Serve para ajudar a tomar decisões de consumo. Vamos explicar melhor.

Imagine que você, que adora novidades, quer muito comprar o novo modelo de smartphone que acabou de ser lançado! Como qualquer eletrônico no Brasil, o preço desse brinquedo novo não é desprezível. Vamos supor que ele custe R$ 1.350, já considerando os eventuais descontos que você pode conseguir a partir do seu plano na operadora. Isso é pouco ou muito para seu bolso? Quanto esse aparelho custa do seu esforço? Não em termos financeiros, mas em energia, suor, labuta? Vamos fazer as contas!

Valor do produto / rendimento por hora = horas de esforço para a compra

R$ 1.350 / R$ 39,77 = 39,95 horas

Ou seja, o novo smartphone custará para você o equivalente a quase 40 horas do seu trabalho duro! E agora? Vale a pena?

Interessante essa conta, não é? Ela pode dar uma nova perspectiva sobre aquilo que você planeja comprar. Independentemente de a sua resposta ser "sim" ou "não", este é um ingrediente a mais para ajudar na decisão de consumo.

Tudo isso que estamos falando, vale lembrar, são medidas visando manter constantemente uma vida saudável, sair das garras das dívidas e dos saldos negativos no banco. Não significa em absoluto a defesa de uma vida pacata, no meio do mato, numa casinha de sapê, ordenhando a vaquinha no quintal para ter o leite do café da manhã e não gastar dinheiro, longe das roupas novas ou dos carros de teto solar e banco de couro. Nada disso! Aliás, ao contrário. São as medidas necessárias para que seu bolso possa adquirir uma robustez tal que permita a você todos esses gostos, essas vontades, esses pequenos ou grandes luxos. E até mesmo morar na casa de sapê, se este for o seu sonho.

A gente também gosta de usar roupa boa! Comprar um presente bacana. Ter um carro novinho na garagem. Fazer uma superviagem internacional. Jantar em um restaurante premiado. E é claro que você também gosta de tudo isso!

A ideia desses passos mais duros neste momento, é possibilitar abrir todo esse leque de oportunidades. Para que você e seu bolso possam arcar com essas compras – sejam elas essenciais ou supérfluas – sem passar apuros por isso.

E, por fim, para que tudo ganhe força e se torne mais fácil de pôr em prática, tenha projetos maiores e concentre-se neles. Para isso é preciso sonhar e planejar passo a passo a realização deste sonho. Quando você tem uma meta, a chance de gastar seu dinheiro de forma descontrolada diminui, afinal você tem um estímulo e um plano a cumprir.

Para quem não tem um foco forte e consistente, esta ausência de metas acaba se refletindo nos gastos do dia a dia. Um plano maior e mais elaborado de vida faz com que valorizemos mais nosso suado dinheirinho, dando uma utilização a ele mais racional e pensada.

Por isso, sonhe. Sonhe muito e eleja aquilo que pode realizar com seu esforço e dedicação. Pode ser a faculdade do filho, uma viagem pelo Nordeste ou pela Europa, um imóvel, um saldo de R$ 1 milhão no banco. O sonho é seu. E ele ajuda a empregar a energia necessária para essa conquista.

Até aqui vimos alguns dos grandes erros que levam o consumidor ao caminho das dívidas, as medidas mais eficazes para sair dessa situação, e também o comportamento que você deve ter para se manter na trajetória de uma vida financeiramente saudável. É hora de seguir em frente! Mas, antes, vamos lembrar alguns dos principais tópicos tratados neste capítulo.

CHECKLIST

LEMBRE-SE DOS PONTOS CRUCIAIS
DESTE CAPÍTULO!

Juros a seu favor são vitamina para o bolso. Juros contra, veneno.

Faça um esforço grande e pontual para juntar suas dívidas em um só credor, e quitá-las o quanto antes!

Lembre-se dos 7 pecados financeiros, e dê os 7 passos para sair do buraco.

Mantenha seu bolso no rumo certo com as 5 regras para uma vida financeiramente saudável.

Adote uma mudança de comportamento. Controle o impulso e pense antes de torrar o dinheiro que você demorou para ganhar.

Tenha um sonho material ou financeiro. E corra atrás dessa meta.

QUAL **CRÉDITO** EU **PEGO?**

Muitas pessoas gastam o dinheiro que não ganharam, para comprar coisas que não querem, para impressionar pessoas de quem elas não gostam. – Will Rogers

No caminho da saúde financeira, a palavra "dívida" deve ser usada como algo a ser evitado. Dívida boa, mesmo, só é aquela que possibilita auferir lucros maiores no futuro. Uma empresa, por exemplo, quando pega um empréstimo para aumentar a produção, montar uma nova fábrica ou modernizar seus equipamentos, o faz com o intuito de aumentar a receita com tal força que o empréstimo possa ser todo quitado – e o saldo que fica é de um lucro em patamar mais elevado.

Mas no cotidiano, quando falamos de pessoas e não empresas, isso raramente acontece. E dívida passa a ser sinônimo de problema.

É claro que, sempre que possível, você deve evitar tomar dívidas, ficar no vermelho, se tornar um devedor. Mas em determinados momentos da vida – ou até mesmo como um primeiro passo para substituir suas dívidas e sair do poço financeiro onde eventualmente se encontre – pode ser que precise pegar um empréstimo. Acontece!

O tipo de crédito a ser utilizado vai fazer toda a diferença no custo que você terá. Isso pode resultar numa dívida palatável... ou intragável! Portanto, vamos conhecer agora as principais modalidades de empréstimo disponíveis no mercado brasileiro. Os prós e contras de cada uma. E qual deve ser sua escolha – em caso de última necessidade.

RAIO-X DOS EMPRÉSTIMOS DISPONÍVEIS

CRÉDITO CONSIGNADO

- O que é: modalidade de empréstimo onde as parcelas do devedor são debitadas diretamente na folha de pagamento.
- Qual é a taxa: a maioria fica entre 1% e 4 % ao mês.
- Onde pegar: agências bancárias.
- Vantagem: O crédito é facilmente encontrado e as taxas estão entre as menores de todas as modalidades, porque o risco de calote para o banco é muito reduzido.
- Desvantagem/Cuidados: As parcelas são descontadas automaticamente dos seus rendimentos, faça chuva ou faça sol. A grande dica é tentar trabalhar com parcelas que não deixem o seu orçamento apertado demais.

EMPRÉSTIMO PESSOAL

- O que é: empréstimo feito para pessoa física.
- Qual é a taxa: a maioria varia de 3% a 7,5% ao mês.
- Onde pegar: bancos e financeiras.
- Vantagem: O devedor pode destinar o dinheiro para a finalidade que quiser.
- Desvantagem/Cuidados: Pequenas parcelas podem, na soma, representar muito.

REFINANCIAMENTO COM GARANTIA

- O que é: Empréstimo em que um bem é dado como garantia.
- Qual é a taxa: a maioria varia de 1% a 2 % ao mês.
- Onde pegar: bancos e financeiras.
- Vantagem: taxas reduzidas.
- Desvantagem/Cuidados: Só consegue esse crédito quem tem uma posse de alto valor ou imóvel. Além disso, os prazos são longos, e, se você não pagar a dívida, perde o bem/patrimônio.

PENHOR: TRANSFORMANDO JOIAS EM DINHEIRO

- O que é: Empréstimo adquirido penhorando joias ou relógios, por exemplo, como garantia de que irá pagar pela operação. O penhor de joias é o tipo mais conhecido, apesar de também existir os penhores especiais de imóveis (rural e industrial).
- Qual é a taxa: a maioria gira em torno de 1% a 2% ao mês.
- Onde pegar: normalmente em agências bancárias.
- Vantagem: um dos juros mais baixos do mercado e rapidez para a obtenção.
- Desvantagem/Cuidados: Tipo de crédito muito escasso (poucos bancos trabalham com essa modalidade). Além disso, você precisa ter uma joia (que será avaliada pelo peso do ouro e/ou pelas pedras), e pode perdê-la caso não honre o compromisso de pagamento.

CHEQUE ESPECIAL

- O que é: Uma das operações de crédito mais caras e, ao mesmo tempo, mais comuns no Brasil devido à comodidade. Um limite de dinheiro extra e pré-aprovado é colocado à disposição do cliente e basta movimentar a conta bancária, pagando contas ou sacando, para acessar o cheque especial, quando o dinheiro efetivo da conta acaba.
- Qual é a taxa: a maioria gira em torno de 8% ao mês, mas a variação é grande (de 3% a 15% ao mês).
- Onde pegar: os bancos oferecem o cheque especial. O dinheiro extra é habilitado pela gerência e fica à disposição do cliente. O valor pode ser acessado como se fosse um complemento da renda efetiva do correntista, sem que precise ser solicitado.
- Vantagem: crédito já é pré-aprovado.
- Desvantagem/Cuidados: juros altíssimos. Evite a todo custo!

CARTÃO DE CRÉDITO (CRÉDITO ROTATIVO)

- O que é: é o cartão que assume a sua dívida, quitando o seu gasto. Você pagará a conta para o cartão de crédito. Em outras palavras, é quando você não paga o valor total da fatura.
- Qual é a taxa: a maioria gira em torno de 10,5%, mas pode variar de 3% a 17% ao mês.
- Onde pegar: É automático. Se não pagar a fatura, já entra no rotativo.
- Vantagem: crédito já é pré-aprovado.
- Desvantagem/Cuidados: é a modalidade mais cara de todas. Um pequeno descuido pode resultar em uma dívida monumental e impagável.

4.1 Impacto no seu bolso

Se colocarmos as modalidades de crédito das quais falamos lado a lado para comparar as taxas de juros de cada uma, o resultado é o seguinte:[15]

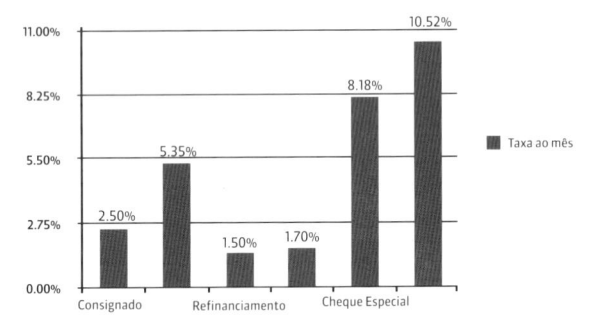

Bom, dada a diferença brutal entre essas barrinhas (que na verdade são taxas, e, mais precisamente, mordidas no seu bolso), seria de se supor que a grande maioria dos endividados pega crédito consignado, empréstimo pessoal, refinanciamento ou penhora algum bem, e deixa o cartão de crédito ou cheque especial como última alternativa, certo? Errado! Justamente por serem as modalidades mais fáceis, acessíveis e pré-aprovadas, tanto o cheque especial (quando sua conta fica negativa no banco), quanto o rotativo do cartão de crédito (quando você paga o mínimo ou apenas parte da fatura) são os tipos de crédito mais populares.

Para que você não faça parte dessas estatísticas e para analisar a diferença e o impacto de cada modalidade na hora de pagar as contas, vamos fazer uma simulação. Imagine que você pegue um empréstimo de R$ 20.000 para ser devolvido em prestações mensais durante 5 anos. São 60 parcelas no total. Para começar, como fica o valor de cada parcela?

Modalidade	Valor do empréstimo	Ao mês	Parcelas (meses)	Valor da parcela
Consignado	R$ 20.000,00	2,50%	60	R$ 647,07
Empréstimo Pessoal	R$ 20.000,00	5,35%	60	R$ 1.119,07
Refinanciamento	R$ 20.000,00	1,50%	60	R$ 507,87
Penhor	R$ 20.000,00	1,70%	60	R$ 534,34
Cheque Especial	R$ 20.000,00	8,18%	60	R$ 1.650,75
Rotativo do cartão de crédito	R$ 20.000,00	10,52%	60	R$ 2.109,22

A diferença é enorme. Se no consignado (e vamos nos ater a ele, já que das modalidades mais baratas é comum e acessível para quase qualquer pessoa) o valor mensal é de R$ 647,07, no caso do cartão de crédito ela passa de R$ 2 mil!
Considerando isso, como será que fica o valor da dívida final, somando todos esses pagamentos mês a mês? É o que mostra o gráfico a seguir (mão na carteira!).

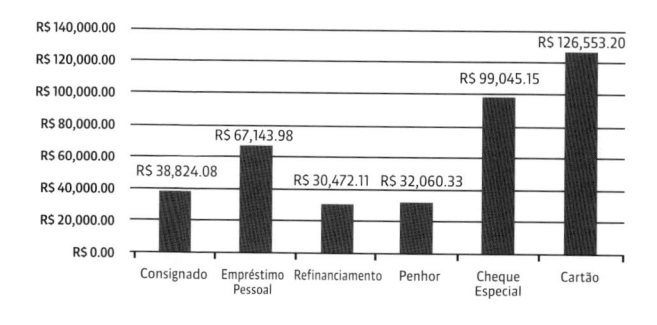

Modalidade	Total
Consignado	R$ 38.824,08
Empréstimo Pessoal	R$ 67.143,98
Refinanciamento	R$ 30.472,11
Penhor	R$ 32.060,33
Cheque Especial	R$ 99.045,15
Cartão	R$ 126.553,20

Ou seja, por aqueles vinte milzinhos que você tomou emprestado, no final das contas terá pago, em 5 anos, quase R$ 39 mil no caso do crédito consignado. Mais de R$ 67 mil no empréstimo pessoal. Quase R$ 100 mil no cheque especial. E R$ 126 mil no rotativo do cartão de crédito!

Agora vamos considerar um caso extremo. Digamos que você pegou os mesmos R$ 20 mil, mas não conseguiu pagar as parcelas. A situação apertou, você perdeu o emprego, o filho nasceu e, por qualquer motivo, as contas se acumularam. O que aconteceria se depois de 5 anos você resolvesse quitar a dívida? Em quanto aqueles R$ 20 mil teriam se transformado?

Modalidade	Valor do empréstimo	Ao mês	Parcelas (meses)	Dívida final
Consignado	R$ 20.000,00	2,50%	60	R$ 87.995,79
Empréstimo Pessoal	R$ 20.000,00	5,35%	60	R$ 456.144,45
Refinanciamento	R$ 20.000,00	1,50%	60	R$ 48.864,40
Penhor	R$ 20.000,00	1,70%	60	R$ 54.990,44
Cheque Especial	R$ 20.000,00	8,18%	60	R$ 2.237.940,94
Cartão	R$ 20.000,00	10,52%	60	R$ 8.081.324,95

Transformando a tabela em um gráfico de colunas, a diferença fica assombrosa.

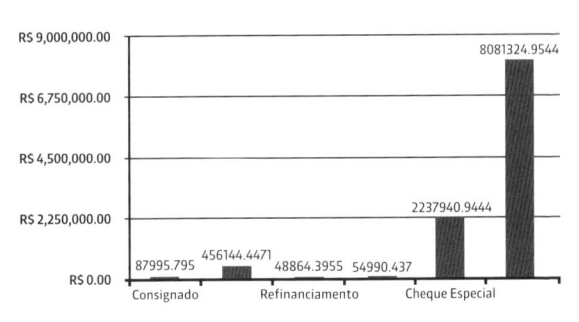

É isso mesmo! Depois de 5 anos a dívida seria, em alguns casos, praticamente impagável, de tanto que ela cresceria! No exemplo do cheque especial a dívida passaria de R$ 2,2 milhões! E no caso mais assustador, o do cartão de crédito, o empréstimo de R$ 20 mil se transformaria em uma bomba relógio de mais de R$ 8 milhões! BUM!

E detalhe... essas são as médias das taxas em cada modalidade. É como dizer que, se o seu pé está no freezer e sua cabeça no forno, sua temperatura média é ambiente. Na prática, você está morto! Ou dizer que quando uma criança comeu dois peitos de frango e a outra comeu zero, na média cada uma comeu um frango. Na prática, a segunda passou fome.

Traduzindo: se a taxa média do cartão de crédito é essa, é porque existem alguns bancos cobrando menos e outros cobrando muito mais! Cuidado.

#FICAADICA!

Não apenas a taxa de juros, mas também o prazo é um item fundamental a ser analisado na hora de avaliar um empréstimo. E o peso disso fica claro com um exemplo: O que é melhor, uma dívida de R$ 50 mil, com juros de 3% ao mês, por 48 meses, ou um empréstimo de mesmo valor, mas com juros de 4% e período de 24 meses?

À primeira vista a alternativa inicial pode parecer mais interessante, já que cobra uma taxa menor. Mas vamos fazer as contas:

OPÇÃO 1:
Empréstimo R$ 20.000
Taxa de Juros: 3% ao mês
Prazo: 48 meses
Valor da parcela: R$ 1.978,89
Valor final da dívida (soma das parcelas): R$ 94.986,66

OPÇÃO 2:
Empréstimo R$ 50.000
Taxa de Juros: 4% ao mês
Prazo: 24 meses
Valor da parcela: R$ 3.279,34
Valor final da dívida (soma das parcelas): R$ 78.704,20

Ou seja, apesar de ter uma taxa de juros maior, a segunda opção resulta em uma dívida final R$ 16.282,46 menor! Bela diferença, né?

Portanto, não avalie só a taxa ou só o prazo. Se precisar de um empréstimo faça uma análise conjunta, e peça ainda ao banco o valor exato das parcelas. Some tudo e veja qual, afinal, será o valor total da dívida que terá que pagar. Via de regra, quanto menor a taxa e menor o prazo, melhor.

4.2 Moral da história

Falamos muito sobre orçamento, dívidas, juros e modalidades de empréstimo. Então... qual é a moral da história?

Em resumo, organize suas finanças! Bote ordem na bagunça, domine as contas em vez de ser controlado por elas! Inverta esta lógica. Registre seus ganhos e seus gastos regularmente e mantenha os lançamentos atualizados. Se tiver dívidas, negocie. Renegocie. Ajuste seu cotidiano, adie a viagem, passe um facão nos supérfluos e economize o máximo possível para quitá-las o quanto antes!

É uma dose amarga de remédio, mas a ideia é eliminar a doença de vez. Caso precise tomar um empréstimo emergencial, fuja do rotativo no cartão de crédito ou do cheque especial. A dívida pode ficar impagável e sua saúde vai para o ralo junto com suas economias. Prefira as modalidades mais baratas, como o crédito consignado, que é facilmente contratado e cobra juros muito menores.

Torne-se um investidor líquido, não um devedor frustrado. Somando todos os seus ganhos e descontando todos os seus gastos, o resultado deve ser positivo. Sempre! Dinheiro sobrando para o lazer e também para aplicar, construir patrimônio e engordar sua aposentadoria. O que torna sua vida financeiramente saudável não é o valor que pinga na conta, mas a diferença entre o que você ganha e o que gasta.

4.3 O uso inteligente do cartão de crédito

"Nunca gaste seu dinheiro antes de recebê-lo." – Thomas Jefferson

O Brasil tem mais de 800 milhões de cartões, considerando crédito, débito e de lojistas.[16] Isso dá uma média de aproximadamente

4 cartões por habitante! Um número que tem avançado com apetite nos últimos anos.

Essa realidade é visível em qualquer direção para a qual a gente olhe. Você seguramente tem um cartão na carteira. Possivelmente três. Talvez mais. E isso significa que é necessário um cuidado especial!

Apesar do número tão elevado, o percentual da renda familiar gasto com cartão no Brasil é de aproximadamente 27% – menor do que na África do Sul, Turquia, Reino Unido, EUA ou Canadá, como mostra o gráfico abaixo.

Percentual do Consumo familiar gasto no Cartão.[17]

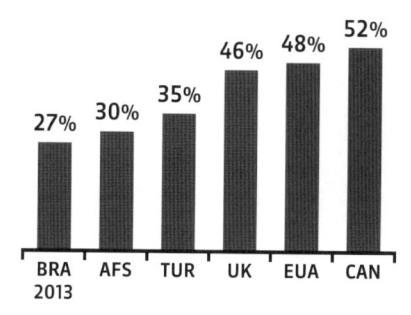

GASTOS EM CARTÃO
(% do Consumo Familiar)

BRA 2013	AFS	TUR	UK	EUA	CAN
27%	30%	35%	46%	48%	52%

Ainda que a fatia seja menor que a de outros países, uma realidade inescapável é a de que um bom naco da renda vai para o ralo por meio do consumo com cartão, em particular o de crédito. E geralmente a despesa é feita sem qualquer forma de estratégia do ponto de vista financeiro, o que representa um enorme risco para o seu bolso.

#FICAADICA!

Nunca, nunca deixe de pagar o valor integral da fatura. Quando você opta pelo pagamento parcial, a parte que resta entra no chamado "rotativo do cartão de crédito". É daí que vem a maior taxa de juros entre todas as modalidades de crédito no Brasil. Enquanto o dinheiro que você investe na poupança rende pouco mais de 6% ao ano, a taxa que o cartão cobra em caso de atraso ou inadimplência passa dos 200%!

Em caso de última necessidade, é melhor pegar um empréstimo pessoal ou consignado e cobrir o buraco no cartão.

QUERIDO CARTÃO!

O cartão de crédito não é mocinho, nem vilão no drama das suas contas pessoais, ponha isso na cabeça. Cartão de crédito, bem como outras ferramentas que você conhece ao longo da vida, pode ser usado tanto para te ajudar, quanto para te afundar. Tudo depende da maneira como você administra isso. Nem sempre a melhor solução é a radical de picotar seu cartão em pedacinhos.

OS 7 MANDAMENTOS
PARA VIVER EM PAZ COM SEU CARTÃO DE CRÉDITO

1º Mandamento: NÃO ATRASARÁS!

Nunca deixe de pagar a fatura do cartão de crédito. Os juros são extremamente altos e logo engolirão você e o seu orçamento se as coisas saírem do controle. Se for o caso, faça um empréstimo para quitar o cartão, mas não deixe a fatura abandonada, pois ela crescerá de forma incontrolável e assustadora, pode ter certeza disso!

2º Mandamento: NÃO RASGARÁS!

Guarde o canhoto emitido pelos estabelecimentos após o pagamento da sua compra, e anote tudo em uma planilha de gastos. Isso será fundamental para proporcionar a você um controle efetivo de suas contas e evitar aquele susto extremamente desagradável quando a fatura do cartão chegar. Quem sabe o que já gastou tem ainda condições de avaliar a hora de parar e puxar o freio de mão!

3º Mandamento:

NÃO ESQUECERÁS!

Não faça uma compra pensando nas milhas dos cartões de crédito. Mas, se comprar algo, não se esqueça de se cadastrar para ter direito a milhas! Ou seja, já que você tem direito a este "benefício" (cujo valor já está pulverizado na fatura de todos os clientes), aproveite para obter um bilhete aéreo, diárias de hotéis, aluguel de carros, jantares ou qualquer outra coisa que você efetivamente irá usar e pela qual teria que pagar normalmente.

4º Mandamento:

NÃO DEIXARÁS!

Não deixe, de forma alguma, que a sua anuidade do cartão de crédito vença e seja renovada automaticamente com aquele débito padrão embutido na sua fatura. Observe atenciosamente a data, anote na sua agenda e, antes que ela vença, tente negociá-la, pedindo um desconto ou até mesmo a isenção. Afinal de contas, você já tem o cartão há pelo menos um ano e a sua fidelidade é importante para a instituição.

5º Mandamento:

NÃO ACEITARÁS!

Se você vai comprar uma bolsa ou um pneu para o seu carro, mas o estabelecimento informa que não há nenhum desconto para o pagamento à vista, não aceite! Neste caso, pode pagar no cartão de crédito. Isso porque você terá um mês pela frente para arcar com a fatura e, dependendo, poderá até usar o cartão com o vencimento mais distante. Mas mantenha o gasto anotado na sua planilha ou aplicativo de controle, para não torrar o dinheiro duas vezes, e achar que tem um saldo que não tem! Este mandamento só vale se sua disciplina for nota 10! Caso contrário, prefira o débito.

6º Mandamento:

NÃO ULTRAPASSARÁS!

Compre no cartão somente aquilo que você pode pagar. Jamais faça parcelas que não caberão no seu bolso ou que estrangularão o seu orçamento.

7º Mandamento:

NÃO ABUSARÁS!

Em situações de endividamento, o cartão de crédito deverá ser cortado para gastos supérfluos e focado em despesas básicas. O cartão ajudará muito em uma compra no supermercado ou na hora de pagar uma fatura de telefone. Com ele você ganha um fôlego extra e mais tempo para pagar. Se estiver com a corda no pescoço, faça do cartão de crédito seu colete salva-vidas e utilize-o para aquilo que realmente é o mais importante. Resista à tentação de almoçar fora, de comprar roupas ou de fazer aquela viagem bate-volta no final de semana. Priorize colocar a sua vida financeira em ordem antes - e depois poderá fazer tudo isso, e muito mais! E lembre-se: dívida atrai dívida!

45%

dos brasileiros declararam que viveriam bem sem o uso do cartão de crédito e tendo que pagar à vista tudo o que compram.[18]

4.4 A jabuticaba do parcelamento

O Brasil, entre tantas outras "jabuticabas" (ou características específicas do território verde-amarelo), tem correndo nas suas veias a cultura do parcelamento "sem juros". Tão peculiar daqui quanto a arara azul, o tucano, o tamanduá-bandeira ou a capoeira, é essa história de dividir tudo o que se compra em suaves parcelas mensais, prática que não se vê em nenhuma das principais economias do planeta.

Geralmente esse parcelamento é feito no cartão de crédito, já que o cheque tem seguido trajetória declinante de uso. E todos esses aspectos tornam fundamental a adoção de diretrizes claras para uma utilização consciente e inteligente do cartão.

#FICAADICA!

O cartão de crédito e o advento brasileiríssimo do parcelamento possibilitam a antecipação de consumo futuro. Isso pode parecer ótimo, mas lembre-se: toda escolha implica em uma renúncia! Comprar hoje pode significar ter que economizar amanhã.

O fato de parcelar o pagamento de um bem do qual você usufrui hoje implica no comprometimento de uma renda que você ainda não tem efetivamente – e não na multiplicação do consumo. Em outras palavras, com o uso expansivo do cartão de crédito, você está gastando um dinheiro que muitas vezes ainda não ganhou, portanto está optando por consumir agora algo que só poderia comprar no futuro. Privilegiando o presente em detrimento do que vem pela frente. Tenha isso em mente, e use o parcelamento com cautela.

12%

dos brasileiros declaram que só conseguem comprar tudo que precisam com a ajuda de parcelamentos e empréstimos.[19]

CHECKLIST

LEMBRE-SE DOS PONTOS CRUCIAIS DESTE CAPÍTULO!

Na hora de uma emergência, ou até mesmo para reorganizar suas finanças, você pode precisar de um empréstimo.

Existem várias modalidades, e as taxas variam muito. Muito!

Se precisar tomar um empréstimo, escolha as modalidades mais baratas, como o consignado.

Use o empréstimo como medida radical e pontual. Repague o quanto antes.

Quanto mais fácil, disponível e pré-aprovado o crédito, mais caro ele vai custar e, consequentemente, mais vai sugar do seu bolso.

A diferença no tamanho dos juros cobrados pode tornar a dívida impagável.

Fuja do cheque especial e do rotativo do cartão de crédito!

Não só a taxa de juros, mas o prazo também é importante na hora de avaliar um empréstimo.

Jamais pague apenas o valor mínimo da fatura do cartão de crédito.

Se estiver devendo, opte por usar o cartão apenas para situações emergenciais e para produtos e serviços essenciais como a conta do gás, uma compra no supermercado ou uma medicação.

Lembre-se dos 7 mandamentos para o uso inteligente do cartão Quando fizer compras parceladas, observe se o pagamento delas não ficará pesado para os seus rendimentos mensais, e use esse mecanismo com cautela.

CALCULE SUA
INFLAÇÃO PESSOAL

*A razoável economia está entre a prodigalidade
e a avareza.* – Axel Oxenstiern

O Brasil aprendeu da forma mais difícil. Dando murro em ponta de faca. Provou o gosto amargo dos preços que flutuam e não gostou. Com razão. A inflação é um veneno. Ainda mais para os assalariados. Quando a correção vem, a inflação já comeu parte dos ganhos. Além disso, quanto menos se ganha, maior a fatia do salário que vira pó com itens de alimentação e transporte, que costumam pesar no aumento de preços.

Houve uma época em que um pacote de arroz custava R$ 3 de manhã, R$ 5 à tarde e R$ 7 à noite. Quem viveu os anos 80 deve se lembrar da corrida nos supermercados. Os funcionários corriam para remarcarem os preços. Os consumidores corriam para tentar pegar os produtos antes que eles tivessem o preço reajustado mais uma vez. Era uma época de sofrimento financeiro para muitas famílias brasileiras.

Foi quase uma década de instabilidade e caos econômico com uma série de pacotes do governo que nunca traziam um efeito duradouro sobre a inflação brasileira. Quando chegamos em meados dos anos 90, com a implantação do Plano Real, o Brasil conquistou uma calmaria financeira que parecia impossível anos antes. A inflação nunca deixou de existir, mas foi controlada e se reduziu a índices bem menos danosos e flutuantes do que aqueles da década de 80.

A inflação, independentemente da sua renda, consome poder de compra. O combate é uma tarefa contínua, árdua, que exige empenho por parte do governo e do Banco Central. Uma postura vigilante e persistente.

Mas, se não há nada que você possa fazer de forma direta para influenciar nessas decisões políticas e econômicas (a não ser atuar por meio do voto e da cobrança), você pode ganhar consciência financeira pessoal.

A inflação não é a mesma para todo mundo. O IPCA, considerado o índice oficial de preços e calculado pelo IBGE, é uma média envolvendo uma cesta específica de produtos, com uma metodologia característica.

COMO O IPCA É CALCULADO

Todos os meses, entre o primeiro e o último dia do mês, é feita uma coleta de preços cobrados ao consumidor, considerando o pagamento à vista. Este levantamento de preços acontece em 465 itens de setores distintos, como alimentação e bebidas; saúde e cuidados pessoais; transportes e vestuário.

É importante entender que o IPCA é hoje considerado o medidor oficial da inflação no país. O governo compara suas metas com a inflação registrada pelo IPCA para saber até que ponto a política econômica está no caminho certo. O IPCA também serve de base para os cálculos do Banco Central.

O índice reflete o custo de vida aproximado de famílias que ganham entre um e 40 salários mínimos e que vivem nas regiões metropolitanas de São Paulo, Rio de Janeiro, Belo Horizonte, Porto Alegre, Curitiba, Salvador, Recife, Fortaleza, Belém, Goiânia e Distrito Federal.[20]

No seu dia a dia, você consome os 465 itens de todos os setores dessa lista? Possivelmente não. Será que podemos então afirmar que a sua inflação pessoal é exatamente condizente com a média de avanço dos preços na economia conforme sugerido pelo IPCA? É claro que não.

Vamos então entender melhor qual é o aumento de preços que você enfrenta no seu cotidiano: a sua inflação pessoal.

SHERLOCK EM AÇÃO!

DESVENDANDO E CALCULANDO A SUA INFLAÇÃO PESSOAL

A inflação pessoal é importante porque nos ajuda a enxergar de forma mais precisa qual foi a variação de preços dos produtos ou serviços que consumimos de fato. Muita gente se pergunta se a inflação detectada por índices como o IPCA é realmente condizente com a realidade na hora de pagar a conta do supermercado ou a fatura de telefone no final do mês.

Logicamente a inflação calculada pelos índices é uma média e aborda produtos de forma genérica. Muitos bens e serviços da cesta montada pelas instituições podem não estar no seu padrão de consumo, e vice-versa. No entanto, os índices divulgados são importantes por servirem como uma base comum à população, aos governos e aos serviços em geral.

A inflação pessoal, por sua vez, deve considerar apenas produtos e serviços utilizados por você no dia a dia e com quantidades fixas, a título de comparação. Se o valor gasto com algo está flutuando demais ou aumentando muito é um sinal de que alguma coisa pode não estar indo bem e será possível iniciar um ajuste na sua cesta de consumo. Não precisa exterminar horas do seu dia nesse processo. Ele é relativamente rápido. E ainda que não queira manter um controle mensal, pode ser interessante revisitar essa planilha de tempos em tempos até para contribuir no processo do amadurecimento financeiro.

Estimar a sua inflação pessoal pode até parecer complicado de início, mas não é! Você pode utilizar a mesma metodologia empregada pelos institutos que calculam os índices inflacionários no mercado.

O primeiro passo é montar a sua própria cesta de consumo, com todos os produtos e serviços que costuma utilizar e com suas quantidades fixas.

Depois é só registrar o valor pago mês a mês (ou período a período, como três meses, seis, ou um ano) para cada um destes itens. Isso permitirá que você possa ter uma clareza sobre a evolução dos preços e identificar quais os itens que mais pesam no seu orçamento pessoal, os que estão subindo, os que estão caindo e ainda os que estão se mantendo estáveis ao longo do ano. Uma planilha com a inflação pessoal pode ajudar a detectar as necessidades de redução e adequação no consumo.

Produto serviço	JAN	FEV	MAR	ABR	MAI	JUN	JUL	AGO	SET
Leite (10 unidades)	R$ 26	R$ 26,50	R$ 27	R$ 27	R$ 27	R$ 27,55	R$ 28	R$ 28,5	R$ 28,60
Sabão em pó (2 caixas)	R$ 10	R$ 9,90	R$ 9,90	R$ 9,80	R$ 9,95	R$ 9,70	R$ 9,70	R$ 9,65	R$ 9,60

O LEITE NOSSO DE CADA DIA!

ANÁLISE:

Se fizermos uma análise evolutiva do preço do leite, notaremos que houve um reajuste de 10% no valor pago pelo produto de janeiro a setembro. No início do ano as dez caixas de leite consumidas por mês custavam R$ 26, mas em setembro o gasto já era de R$ 28,60.

(preço final - preço inicial)/preço inicial = variação X 100 = inflação

(28,60-26)/26 = 0,1 X 100 = 10%

Apesar de ter se mantido estável entre março e abril, o leite teve uma linha de reajuste gradativa ao longo dos nove meses. Em nenhum momento houve redução no valor.

O QUE ISSO SIGNIFICA?

Se a sua renda não estiver acompanhando o avanço nos preços, você poderá trabalhar para melhorar o valor gasto, caso contrário a tendência é de que o preço continue evoluindo e você pagando cada vez uma fatia maior do seu salário pelas mesmas dez caixas. Você pode rever a quantidade de leite que consome mensalmente, repensar se realmente esta quantidade é necessária, se ela está sendo bem aproveitada ou se há algum desperdício. Outra providência seria tentar pesquisar outras marcas ou até outros supermercados onde o leite tenha um preço mais baixo e mais estável também.

O SABÃO NOSSO DE CADA DIA!

ANÁLISE:

O preço do sabão em pó em nosso exemplo (duas caixas) começa o ano a R$ 10, mas em setembro havia caído 4% - estava mais barato, valendo R$ 9,60.

Ao longo dos nove meses, houve uma flutuação do preço do produto. Portanto, é impossível identificar uma tendência e saber se é mais provável que ele caia ou volte a subir.

O QUE ISSO SIGNIFICA?

Este é um produto que pode continuar sendo comprado no mesmo lugar, da mesma marca e com a mesma quantidade.

Como o preço caiu em setembro em relação a janeiro, é possível avaliar que não há necessidade de se realizar uma revisão das quantidades gastas, nem da sua utilização. A marca e o estabelecimento também podem ser mantidos.

No entanto, é preciso ligar o botão de alerta em relação a este produto. Isso porque seu preço flutuou muito ao longo dos nove meses de uso. Se analisarmos bem a sua evolução mês a mês, ele começa o ano com o preço caindo, porém em abril tem um salto. Depois, no mês seguinte começa a cair gradativamente até setembro. Preços imprevisíveis, que sobem ou que flutuam demais, podem comprometer ou dificultar o controle do orçamento de uma casa.

O mesmo raciocínio se aplica aos demais itens mostrados na nossa tabela ilustrativa de uma cesta simples de consumo. E da mesma forma que calculamos a variação percentual para esses dois primeiros itens, você pode calcular o que aconteceu com a sua inflação pessoal somando todos os produtos em dois períodos a escolher.

Anotar os preços pagos nos produtos e serviços e fazer um monitoramento das variações nos ajuda a detectar os pontos que precisam ser revistos e, assim, evitar um desperdício de dinheiro ou gastos excessivos. A sua inflação pessoal pode estar muito acima ou muito abaixo do IPCA e de outros índices medidos no mercado. E, para o seu bolso, é ela que interessa, uma vez que representa os produtos/serviços efetivamente usados por você.

A inflação pessoal é uma ferramenta eficaz para enxergar onde estão os "vazamentos" do seu orçamento doméstico, especialmente no que diz respeito ao pagamento de contas de sobrevivência.

Muitas vezes, por pensarmos nestes produtos/serviços como algo essencial, nos fechamos e não cogitamos a possibilidade de verificar os gastos que eles representam, mas isso é um erro. O pente fino nas contas permitirá que você veja o que está indo bem e o que precisa ser aperfeiçoado dentro de suas despesas.

Isso tudo, obviamente, contribui para que você coloque e mantenha seu orçamento pessoal em ordem a ponto de conseguir ter também a reserva para supérfluos e a reserva para investimentos.

A organização é fundamental para que o orçamento se mantenha equilibrado, proporcionando uma vida mais saudável (financeira e psicologicamente) e tranquila para você, sua família e mais próxima de todos os projetos que você tem em mente.

Portanto, entre em ação. O que parece trabalhoso no começo logo se tornará um hábito corriqueiro e os ganhos serão perceptíveis, pois você terá uma noção precisa de tudo o que há de excessivo na sua vida financeira e a evolução financeira da sua cesta de consumo ao longo do tempo.

CHECKLIST

LEMBRE-SE DOS PONTOS CRUCIAIS
DESTE CAPÍTULO!

Calcule a sua inflação pessoal de tempos em tempos.

Não tenha preguiça de anotar seus gastos.

Se os gastos estão flutuando muito, fique alerta.

Se os valores estão subindo excessivamente e atrapalhando seu orçamento, reveja o que está fazendo em relação àquele produto/serviço. Desde a quantidade consumida (pode ser que o consumo esteja exagerado e acima do adequado, gerando desperdício) até a marca e local onde tem comprado.

6

CARRO: NOVO OU **USADO**?

O consumo é a única finalidade e o único propósito de toda produção. – Adam Smith

Logo que o jovem completa 18 anos, tão importante quanto entrar na faculdade, conquistar uma companhia bacana, e torcer pelo time do coração, parece ser a compra de um carro. Lembra o tamanho da ansiedade que você tinha para conseguir sua primeira "caranga"?

O tempo passa, mas o carro – nos seus pensamentos e no seu bolso – continua presente, seja porque não conseguiu comprá-lo antes, seja porque quer fazer um *upgrade* e pegar um melhor. E seja aos 18, 28, 38, 48, 58 anos... a dúvida persiste: É melhor comprar um carro novo ou usado? Qual opção é mais vantajosa do ponto de vista financeiro? Qual decisão traz a melhor relação custo-benefício?

Antes de tocar nesse ponto central, vamos analisar um aspecto fundamental para o seu bolso.

6.1 Quanto custa manter um carro?

Um carro, em certa medida, é um "filho mecanizado". Precisa do seu cuidado, ir ao "médico" de vez em quando, "tomar banho" com certa frequência, ser "alimentado" com combustível toda semana, e cada passeio fora de casa custa dinheiro.

Sustentar um carro não é nada barato e sempre na hora da compra essas contas ficam negligenciadas. Vamos fazer uma rápida lista para ver a importância e o peso do que estamos falando aqui.

SHERLOCK EM AÇÃO!

IDENTIFICANDO AS DESPESAS PARA MANTER UM AUTOMÓVEL EM UMA GRANDE CIDADE

Valor do Automóvel	R$ 30.000,00	
Km percorridos por dia	20	
DESPESA	**VALOR**	**PERIODICIDADE**
Seguro (7%)	R$ 2.100,00	por ano
IPVA (4%)	R$ 1.200,00	por ano
Estacionamento	R$ 450,00	por mês
Manutenção	R$ 1.000,00	por ano
Consumo	13 km/litro	
Preço do litro	R$ 2,79	por litro
Combustível	R$ 128,77	por mês
Depreciação (15%)	R$ 4.500,00	por ano
Custo de oportunidade (poupança: 0,50%)	R$ 150,00	por mês
Licenciamento e Seguro obrigatório	R$ 171,51	por ano
	TOTAL	
Despesas Anuais	R$ 8.971,51	
Despesas mensais anualizadas	R$ 8.745,24	
Custo TOTAL do Carro por ano	R$ 17.716,51	

Claro que todos os valores do nosso exemplo representam uma média. O custo do seguro, neste caso, foi de 7% do valor do carro. As diferenças podem ser consideráveis, dependendo de vários fatores. A seguradora leva em conta quantos veículos de modelo similar ao seu foram roubados na sua região, bairro ou cidade na hora de passar um preço. Além disso, avalia o perfil do segurado, se ele estaciona em garagem fechada ou na rua, quantos quilômetros percorre por dia, e assim por diante.

Usamos também o IPVA no valor de 4%, mas esta fatia, bem como os R$ 171,51 de licenciamento e seguro obrigatório, varia dependendo da cidade onde você mora. Incluímos ainda uma despesa mensal de R$ 450 com estacionamento (de shopping, do trabalho, uma zona azul quando for um final de semana na praça), e R$ 1.000 anuais com manutenções diversas (da troca de um pneu ou óleo, à limpeza geral). A estimativa é até conservadora. Aquela viagem que você quer tanto fazer pode ir por água abaixo assim que descobrir quanto ficou a conta do mecânico. Sim, revisão e consertos podem ser um rombo no seu orçamento e, pior, é o tipo de gasto que acontece a qualquer momento, quando a gente menos espera.

O combustível também varia dependendo de onde você mora e abastece, e a despesa depende do consumo do carro e da distância percorrida. Se você anda 20 km por dia, seu carro tem um consumo de 13km por litro e a gasolina na sua cidade custa R$2,79 o litro, a despesa mensal será de R$ 128,77.[21]

Além disso, carro deprecia e muito! Traduzindo, ele perde valor ano a ano em função do uso, do desgaste, da idade, e de novos modelos aparecendo no mercado. Consideramos uma taxa de depreciação de 15%.[22] Ou seja, você perde R$ 4.500 logo no primeiro ano.

Por fim, não podemos esquecer que todo esse dinheiro que você gasta para comprar o carro poderia estar investido e rendendo, na pior das hipóteses, aproximadamente 0,5% ao mês na poupança. (R$ 30.000 x 0,5% = R$ 150.)

Resumindo tudo isso, manter um automóvel custa caro! Com a empolgação inicial, muita gente se atém apenas à despesa na hora da compra e ignora o tamanho da mordida que virá no bolso todos os meses. Um carro no valor de R$ 30 mil possui uma despesa anual média de quase R$ 18 mil! Cuidado.

Transformando em cifras, para entender quanto isso significa (ou, em economês, qual é o "custo de oportunidade"), se você investisse esse valor de R$ 17.716,75 todo ano, por 10 anos, em uma aplicação como títulos do Tesouro Direto, que rendem aproximadamente 5,5% acima da inflação,[23] você acumularia um patrimônio de R$ 228.109,42! Suficiente para comprar mais de 7 carros iguais a esse da tabela (e já considerando o aumento dos preços)!

Por outro lado, optando pela compra do veículo (e desconsiderando despesas com outros meios de transporte, apenas a título de exemplo), depois dos mesmos 10 anos, o carro teria mastigado seu orçamento, e custado (somando as despesas anuais totais), R$ 177.167,50![24]

Por isso, antes de decidir, faça as contas! Inclusive comparando quanto você gasta com transporte público no dia a dia. Rabisque esses números e veja se compensa realmente ter um carro. Cada caso é um caso. Há muita gente que tem carro para uso diário, outros que usam em emergências e nos finais de semana. E há ainda a turma que desistiu do automóvel, mesmo tendo dinheiro suficiente (grupo que tem aumentado nas grandes cidades devido ao estresse causado pelo trânsito).

A decisão é sua. Ter um carro traz praticidade, conforto, e uma série de benefícios. O importante é saber quanto você precisa trabalhar para sustentá-lo, qual é o tamanho do custo, e, consequentemente, da renúncia que você faz. Se após fazer as contas você estiver consciente e confortável com o tamanho da despesa e com a relação custo-benefício dessa aquisição, vá em frente!

#FICAADICA!

Não tente se convencer de que, por estar comprando um carro e incorporando-o ao seu patrimônio, você está financeiramente melhor. Carro não é investimento! É bem de consumo. Ele não proporciona retorno financeiro. Faz você gastar dinheiro!

6.2 Zerinho ou rodadinho?

Ciente dos gastos associados à posse do veículo, você decide comprar um carro. O conforto e a praticidade são inegáveis! Seja para ir ao trabalho, ao shopping ou ao cinema no final de semana, à praia em um feriado prolongado. Hoje nas grandes cidades, com o transporte público de qualidade "questionável", ter um carro é com certeza uma mão na roda!

Mas qual opção deve ser a adotada: comprar um automóvel zero ou um usado?

Não há dúvida de que entrar no carro com cheiro de novo e tirar o plástico do banco para ser o primeiro a sentar nele tem um gostinho especial. Fato também que, quando você sai da concessionária, ele já perde, em média, 20% do valor! E por que isso acontece?

POR QUE O CARRO ZERO FICA DEPRECIADO TÃO RAPIDAMENTE?

A depreciação ou desvalorização do automóvel quando sai da loja acontece devido principalmente a dois fatores.

O primeiro é o que em economia recebe o nome de "assimetria de informação". Coloque-se no lugar do comprador. Você pagaria o mesmo preço por um carro que está na concessionária e outro que está sendo vendido por um sujeito qualquer? É claro que não! Que garantia ele te dá? Por que ele está querendo vender o carro se acabou de comprá-lo? Será que ele bateu e arrumou a lataria correndo? Será que o veículo deu problemas e ele quer se livrar do abacaxi? Será que ele vai estar no mesmo endereço e telefone se o carro micar na sua mão e você precisar entrar em contato?

Todas essas questões fazem com que o preço do veículo despenque no momento em que ele sai da loja e tem um novo dono.

Outro aspecto relevante é a facilidade de acesso aos carros novos. Nos EUA, por exemplo, o fenômeno aparece com tanta força que o usado praticamente já não tem mais valor. No Brasil, os preços dos veículos usados não caíram tanto porque há uma política protecionista do governo em relação à indústria automobilística nacional, que impede maior competitividade no setor (o que poderia trazer melhoria na qualidade, variedade e preços para os clientes).

Prova disso é que o IPI é de 30% (sem descontos) para carros produzidos fora do eixo Mercosul-México. É o pedágio que aqueles carrões alemães ou britânicos, de que você tanto gosta, pagam para entrar aqui.

Voltando agora à pergunta inicial: novo ou usado? Logicamente, um carro novo custa mais caro. Um modelo similar e usado vai pesar menos no bolso.

Mas a comparação não é tão boba ou inocente. Você também precisa considerar outro aspecto: por ser usado, o mesmo dinheiro pode comprar um veículo melhor! Assim, a dúvida passa a ser: Novo e pelado ou usado e completo? A resposta depende do seu gosto.

Financeiramente, um carro de dois anos, por exemplo, pode ser uma boa escolha, pois já passou por uma boa depreciação e ainda possui um ótimo estado para uso. Mas a solução não é definitiva. Não existe uma resposta que se aplique irrestritamente a todos os casos e consumidores. A pergunta precisa ser avaliada por você, dependendo do tamanho do seu bolso, da sua preferência, do valor adicional que está disposto a pagar para ter um carro zero, e da importância que dá aos acessórios e apetrechos do veículo.

6.3 À vista, financiado ou consórcio?

Já debatemos a questão do novo x usado. Agora o ringue tem outros lutadores: à vista x financiado x consórcio. Na batalha da melhor solução para o seu bolso, quem sai na frente?

Para encontrar a modalidade mais interessante para o seu caso, é preciso entender as vantagens e desvantagens de cada uma delas.

Quando você prefere juntar o dinheiro e pagar à vista pelo seu carro, certamente terá a vantagem de poder negociar um desconto maior e um preço melhor. Por outro lado, terá que ter o valor completo disponível na conta para pagar integralmente o veículo.

O financiamento tem atraído muita gente que precisa de parcelas mais suaves para o bolso no dia a dia. A desvantagem é que a dívida é prolongada, dura anos, e isso significa pagar uma quantidade pesada de juros, que, no final das contas, permitiria que você comprasse até dois carros em vez de um, se o dinheiro fosse guardado.

De qualquer forma, investigue. Faça cotação com diversos provedores de crédito (não só aquele que a concessionária te empurrar) e peça para ver a tabela completa com os valores que você irá pagar mês a mês. Some tudo e tome uma decisão. Cuidado com propagandas grandes de taxas miúdas – vários outros custos podem estar embutidos, e, no final das contas, os juros podem não ficar pequeninos.

Já o consórcio, aquela modalidade que explodiu nos anos 80/90 no Brasil, continua sendo uma opção para quem visa a comprar carro. O consórcio costuma ter parcelas mais suaves e os participantes podem ser sorteados a qualquer momento, ficando com o veículo de imediato, se tiverem sorte. A desvantagem é ter que esperar ser sorteado. E às vezes essa espera é de anos! (Fora a taxa de administração do consórcio).

PINGOS NOS IS - OS PRÓS E CONTRAS DE CADA MODALIDADE

	À Vista	Financiamento	Consórcio
Vantagens	- desconto - maior poder de barganha	- Fôlego financeiro - taxas de juros baixas	- fôlego financeiro - taxas de juros baixas ou inexistentes
Desvantagens	- pode faltar dinheiro para pagar outras contas	- juros ao longo do tempo elevam o valor total desembolsado - pode sair o valor de dois carros	-taxas de administração - pode demorar para ser sorteado

10%

é o valor máximo que a parcela do seu financiamento de automóvel deve atingir em relação ao seu orçamento.

6.4 Carro ou táxi: quem ganha na corrida do custo?

Já que estamos falando de carro, e dinheiro, é pertinente uma pergunta. Se você não faz tanta questão de carro, se ter um veículo à disposição na garagem e a chave na mão não são aspectos imprescindíveis para você e se, na sua visão, um carro só serve para te levar e trazer de algum lugar, e nada mais... será que não valeria a pena usar o dinheiro com táxi, por exemplo? Se em todas as tarefas diárias, sejam de trabalho ou de lazer, você pedisse um táxi, financeiramente qual seria o resultado?

Os principais argumentos para justificar o uso de um veículo pessoal são que sem ele geralmente você tem falta de conforto, demora no deslocamento e custo elevado na hora de pegar táxi. Mas, dependendo da distância percorrida, esse tipo de transporte pode representar economia, mantendo o nível de conforto e reduzindo o tempo de viagem (já que o táxi pode utilizar as faixas de ônibus em alguns casos como o da cidade de São Paulo).

Para tirar essa dúvida de uma vez por todas, fizemos os cálculos! O resultado leva em conta premissas compatíveis com grandes cidades: No caso do táxi, bandeirada de R$4,10, R$2,50 por quilômetro rodado e duas corridas por dia (ida e volta do trabalho). No caso do carro, valem todos os valores e percentuais que já usamos ao longo deste capítulo.[25] No fim das contas, o valor do carro e a distância percorrida são chaves para chegar à resposta.

TIRA-TEIMA - CARRO X TÁXI

PARA CARROS PEQUENOS DE R$ 30 MIL

Resposta: Financeiramente, só vale a pena utilizar o veículo próprio para distâncias a partir de 17 km por dia

EXEMPLOS:

10km por dia
Gasto com carro: R$ 16,9 mil ao ano
Gasto com táxi: R$ 12,0 mil ao ano

17km por dia
Gasto com carro: R$ 17,5 mil ao ano
Gasto com táxi: R$ 18,3 mil ao ano

25 km por dia
Gasto com carro: R$ 18,1 mil ao ano
Gasto com táxi: R$ 25,5 mil ao ano

PARA CARROS DE MÉDIO PORTE DE R$ 50 MIL

Resposta: Financeiramente, só vale a pena usar o carro para distâncias a partir de 24 km por dia

EXEMPLOS:

20 km por dia
Gasto com carro: R$ 24,1 mil ao ano
Gasto com táxi: R$ 21,0 mil ao ano

24 km por dia
Gasto com carro: R$ 24,4 mil ao ano
Gasto com táxi: R$ 24,6 mil ao ano

30 km por dia
Gasto com carro: R$ 24,9 mil ao ano
Gasto com táxi: R$ 30,0 mil ao ano

PARA CARROS GRANDES DE MAIS DE R$ 75 MIL

Resposta: Financeiramente, só vale a pena usar o carro para distâncias acima de 34km

EXEMPLOS:

30 km por dia
Gasto com carro: R$ 32,9 mil ao ano
Gasto com táxi: R$ 30,0 mil ao ano

34 km por dia
Gasto com carro: R$ 33,2 mil ao ano
Gasto com táxi: R$ 33,6 mil ao ano

40 km por dia
Gasto com carro: R$ 33,7 mil ao ano
Gasto com táxi: R$ 39,0 mil ao ano

CHECKLIST

LEMBRE-SE DOS PONTOS CRUCIAIS DESTE CAPÍTULO!

Manter um carro custa caro! Muito mais que o valor que você pagou para comprá-lo.

Ao contabilizar os gastos, inclua seguro, IPVA, manutenção, combustível, estacionamento e depreciação.

Avalie o custo de oportunidade: quanto você poderia ganhar se investisse o dinheiro?

Na hora de escolher entre um novo ou usado, o que deve comparar é se prefere um usado mais completo ou um novo mais básico.

Se pagar à vista, barganhe! Uma das grandes vantagens é o desconto nessa hora.

Se for financiar a compra de um automóvel, as parcelas não devem passar os 10% de sua renda mensal. Pesquise as taxas e o custo das parcelas.

Consórcio é uma alternativa barata, mas você pode ter que esperar muito tempo! (E enquanto isso, gastar dinheiro com outro transporte).

Compare os gastos para manter um carro e os gastos com táxi.

Carro é patrimônio, mas não é investimento! Ele traz gastos, e não rendimento!

7

ARMADILHAS E DICAS SOBRE SERVIÇOS

No mundo dos negócios, as mudanças ocorrem cada vez mais rápido. Para caminhar para trás, basta ficar parado. – Carlos Hilsdorf

7.1 O benefício da infidelidade na telefonia

Já aconteceu com conhecidos, com amigos, com parentes. E, seguramente, já aconteceu com você também. A telefonia no Brasil não é exatamente uma maravilha. Não é raro o sinal cair, a internet falhar, e o usuário ficar irritado. ("Judite que o diga!") Se for ligar para a central de atendimento então... só com muito chá de camomila para manter a calma!

E todo serviço de telefonia, particularmente celular, tem uma característica curiosa. Na hora de fazer o plano você vai, briga, pesquisa, investiga... e consegue descontos! Fecha um bom negócio. Mas, um tempo depois, a conta entra no automático. Você nem olha mais para aquilo. O prazo dos descontos acaba. O valor sobe. E, com isso, você pode estar deixando de economizar um bom dinheiro.

Como conseguir um bom plano

Desde a privatização da Telebrás, o setor de telefonia passou por uma verdadeira revolução no Brasil, e tem se expandido com força. Lembra daquela época em que uma linha telefônica custava caríssimo, demorava anos para ser instalada e precisava ser declarada no imposto de renda? Pois é. Hoje, o número de aparelhos celulares já supera o da própria população de brasileiros! A relação celular/habitante ultrapassa até a dos Estados Unidos. E o cenário é bastante competitivo. As operadoras, em certa medida, se digladiam para conquistar um novo cliente – e não deixar um bom pagador escapar.

RUMO CERTO!

OS 5 CUIDADOS PARA GARANTIR UM BOM PLANO

Sempre fique atento às concorrentes.

Renegocie seu plano a cada 12 meses.

Use a cartada da portabilidade.

Prefira pacotes conjuntos.

Aumente o plano para englobar seu consumo.

O primeiro passo para garantir um bom plano é sempre ficar atento às concorrentes. Felizmente a competição funciona razoavelmente bem no segmento de telefonia. As empresas sabem que fidelizar um cliente não é mole, e por isso tiram da cartola algumas boas propostas. Mas não a toda hora.

Existem basicamente dois momentos principais onde você recebe as ofertas mais interessantes. Na hora em que se associa, e na hora em que planeja trocar de operadora. Além de pacotes vantajosos, não raras vezes a proposta vem acompanhada de descontos que vão de 10% a 50% do valor da fatura.

No entanto, o mesmo artifício que agracia os novos clientes ou os antigos que estão por escapar castiga aqueles que não brigam por desconto com certa constância.

Todos aqueles abatimentos na hora da aquisição são geralmente válidos pelo período de 1 ano. Passado o prazo, o preço volta automaticamente para o patamar normal – e caro! Por isso é fundamental que você renegocie seu plano a cada 12 meses. É justamente com os que relevam a renegociação – seja por esquecimento, comodidade, preguiça ou desleixo – que as operadoras ganham dinheiro. Como você se sentiria ao saber que outro cliente está usando exatamente o mesmo plano que o seu e pagando 30, 40, 50% menos por ele? Não fique do lado feio da foto.

Outro caso bastante frequente é o calvário das ligações com a central de atendimento. Quando a ideia é reclamar, mudar de plano, cancelar a linha... quem já não ouviu um "tu-tu-tu"?

Se você persiste e liga até achar um atendente voluntarioso (sim, haja paciência! Mas seu bolso merece), é bem provável que consiga um novo desconto. Mas, dificilmente, ele virá de mão beijada. Geralmente a proposta é menos vantajosa que aquela que você tinha quando entrou na operadora. A generosidade com quem já é da casa e pagador frequente (diferentemente do que talvez aconteça em um restaurante que dá um agrado para o cliente fiel) é menos intensa. Você já é cliente mesmo, o esforço para te conquistar é menor do que naquele primeiro flerte.

Os descontos robustos só voltam a aparecer de fato, quando a operadora sente uma real intenção do cliente de mudar para o serviço vizinho. Assim, avalie as alternativas, e, se necessário, use a cartada da portabilidade. Ela não precisa ser um blefe. Ainda que não esteja descontente com seu prestador atual de serviços, você pode de fato ter se interessado por uma proposta concorrente. Esta informação é crucial para conseguir melhores vantagens na sua atual operadora. Assim, tenha a carta na manga. E teste o melhor momento de usá-la. Mesmo que seja para valer e mudar de companhia.

PORTABILIDADE NA TELEFONIA

COMO FUNCIONA?

A portabilidade de linha telefônica é a possibilidade de mudar de prestadora de serviço, sem ter que trocar de número. Ela também permite que o consumidor troque de plano ou de pré-pago para pós-pago (e vice-versa) dentro de uma mesma operadora.

O consumidor deve procurar outras operadoras e pesquisar os preços e as vantagens antes de optar pela portabilidade. Quando decidir pela mudança, o pedido deve ser feito à futura operadora. Ao todo o prazo para a realização da portabilidade é de três dias úteis. As empresas podem isentar o consumidor da cobrança de qualquer taxa, no entanto, por lei, a Anatel (Agência Nacional de Telecomunicações) permite a cobrança de, no máximo, R$ 4.

Se você precisa de mais de um serviço da mesma operadora, pode ser conveniente fechar tudo junto. Prefira pacotes conjuntos, que tendem a resultar em um melhor custo-benefício do que se contratasse cada um individualmente.

Além disso, evite a todo custo estourar o limite do seu plano – seja no pacote de dados, nas mensagens, nas ligações interurbanas ou nos minutos para outras operadoras. Juntamente com a falta de apetite para a negociação da qual falamos, os valores excedentes são os grandes vilões das contas e uma erva daninha para seu bolso. Se perceber que seu pacote atual não comporta sua demanda, aumente o plano ou contrate um pacote (de dados, mensagens, minutos) adicional.

US$ 0,71

é a média da tarifa paga por minuto numa ligação de celular para celular da mesma operadora no Brasil. O país tem a tarifa mais cara do mundo.[26]

7.2 De malas prontas: planejando sua viagem

Descobri como é bom chegar quando se tem paciência. E para se chegar, onde quer que seja, aprendi que não é preciso dominar a força, mas a razão. É preciso, antes de mais nada, querer.
– Amyr Klink

DE OLHO NO EXEMPLO!

Paulo e Renata querem passar as férias de julho no Peru, porém o casal está endividado e tentando colocar as contas em ordem. Ao mesmo tempo que não querem adiar esta viagem, também não terão dinheiro sobrando e por isso precisam abrir mão de alguns confortos no passeio.

Logo no início do ano, ambos decidem iniciar pesquisas sobre os preços. Eles têm seis meses para encontrar passagens com custos mais baixos. Em abril, o casal ainda está à procura de boas promoções. Em média as passagens entre Rio de Janeiro e Lima custam de R$ 1.500 a R$ 2.500 por pessoa. Porém, durante a pesquisa, eles descobrem que no mês de junho, por ainda não estar em alta temporada, o preço é muito mais em conta.

Ambos param, pensam, e tomam uma importante decisão: adiantar as férias em uma semana para conseguir passagens mais baratas. Com a aprovação em seus respectivos trabalhos, eles finalmente fecham a compra das passagens para a última semana de junho por R$ 550 cada. Por comprar com antecedência (as passagens sobem quanto mais próximas à data do embarque) e por iniciar a viagem uma semana antes da abertura oficial da temporada de férias, o casal consegue um desconto de 74% e pode reservar a economia para incrementar a viagem, gastando com a hospedagem em um hotel com mais estrelas, com restaurantes mais requintados ou novas alternativas de passeio!

Depois de 12 meses de labuta, suor, empenho, foco, dedicação e dores de cabeça, você está quase de malas prontas. É hora de marcar sua viagem de férias!

Delícia! Dúvidas não faltam. Mas preocupação desse tipo até vale a pena! Praia ou montanha? Verão ou inverno? Interior ou capital? Norte ou sul? Uma ou duas malas? Sapato ou chinelo? Cachecol ou bermuda?

No entanto, se no meio de todos esses questionamentos tão característicos a palavra planejamento não fizer parte da equação, o risco é relaxar do trabalho, mas estressar com o bolso – seja durante a viagem ou depois, na hora de medir o tamanho do estrago.

Para evitar esses sustos e a dor de cabeça antes mesmo de voltar ao batente, vamos ver alguns elementos que podem ajudar nesse planejamento – e isso não significa gastar pouco ou ser muquirana na hora de viajar! Apenas planejar e fazer a estratégia das férias com consciência financeira.

A CARTILHA

QUATRO DICAS PARA TORNAR SUA VIAGEM MAIS ECONÔMICA:

Planeje com muita antecedência, pois só assim é possível comprar passagens e fazer reservas de hospedagem com preços mais justos e ainda pedir descontos. A lei da oferta e da procura deixa tudo visivelmente mais caro quanto mais em cima da hora.

Procure pacotes fechados, eles, dependendo da localidade e época do ano, podem sair mais baratos do que as viagens feitas por conta própria.

Se não for viajar com um pacote, tenha sempre um roteiro pré-estabelecido, assim você aproveita melhor o seu tempo e o seu dinheiro.

Se possível, fuja da alta temporada das férias e dos feriados. Tudo isso acaba gerando uma estilingada nos preços em função, mais uma vez, da demanda elevada concentrada em um único período.

> **#FICAADICA!**
>
> A variável câmbio é uma das mais difíceis de serem estimadas e uma das mais imprevisíveis também! Até para profissionais do ramo. Não dedique excesso de energia e tempo tentando acertar na mosca a melhor hora para comprar dólares ou euros para sua viagem.

Se fizer questão de uma taxa interessante, planeje antecipadamente e faça uma média da cotação comprando de pouco em pouco. Se não quiser perder tempo, energia ou gastar várias vezes à toa pagando uma taxa para cada conversão, junte tudo e troque em uma tacada. No fundo, se ficar calculando na vírgula quanto ganharia ou deixaria de ganhar na conversão, centavo a centavo, vai ficar louco. Seria uma perda de tempo e com retorno baixíssimo em troca.

Seja prático. O valor das suas férias não é pequeno, muito menos desprezível, mas não é uma montanha de dinheiro alta a ponto de comprar uma casa. Assim, a variação na cotação não justifica tamanho esforço. Admita que não é profissional, troque de uma vez, e não fique olhando todos os dias seguintes para ver se fez um bom ou mal negócio.

1.000%

foi o índice de aumento no valor gasto por turistas brasileiros no exterior em 10 anos.[27]

7.3 Felizes até... o resgate: programas de fidelidade. Como usar e quando descartar

"A partir de um certo ponto, o dinheiro deixa de ser o objetivo. O interesse é o próprio jogo." – Aristóteles Onassis

Mala direta, e-mail promocional, torpedo ou uma oferta de uma simpática atendente. Não importa como a proposta chegou até você, mas aposto que já recebeu um convite para fazer parte de um programa de pontos ou fidelidade.

Esses programas na verdade ganharam impulso inicial no mundo das passagens e companhias aéreas. Vendo a possibilidade de ampliar os negócios – e as receitas, obviamente – as empresas aos poucos transformaram os programas de milhagem em amplos programas de fidelidade. Isso significa que o acúmulo de pontos e o resgate de benefícios não ficam mais restritos à emissão de passagens aéreas na sua próxima viagem. Lojas de roupas, restaurantes, cartões de crédito e spas também podem fazer parte da oferta.

No entanto, os focos principais ainda são as milhas acumuladas nos cartões de crédito ou trechos aéreos e resgates em passagens "de graça". A ideia é recompensar os clientes pela fidelidade.

E, falando em resgate, é aí que o relacionamento pode ficar estremecido. Depois de "casar" com um programa de fidelidade, muitos associados se veem no purgatório para conseguir marcar, por exemplo, uma passagem e resgatar os pontos acumulados. Os motivos podem ser variados: número limitado de assentos, voos ruins, escassez em alta temporada, vencimento ligeiro do benefício. O fato é que retumba a sensação de que tudo é muito feliz até a hora do resgate.

Mas voltando aos programas... o pessoal é bom de marketing! Participar de "times" dessa natureza e fazer parte de um programa de fidelidade dá a sensação de que se está saindo em grande vantagem ou realizando grande economia. Mas só tem um jeito de saber se isso, de fato, se verifica na prática: fazendo as contas! E nós fizemos. Vamos entender melhor quando usar o programa de fidelidade, e quando ele deve ser descartado.

400 mil

é número de resgates feitos por mês divulgado pela maior rede de fidelização do Brasil.[28]

Na ponta do lápis

Programa de milhagem
Economia real
Passagem para Miami:
R$ 1.916,00 <> 50 mil milhas
1 dólar = 1 milha = R$ 2,20
Ou seja:
R$ 110.000,00 (gastos no cartão) = R$ 1.916,00 (passagem)
Então...
50 mil milhas = R$ 110.000,00
Economia de R$ 0,02 para cada 1 real gasto.

Pesquisamos passagens de ida e volta de São Paulo para Miami no período de outubro-novembro, com uma conexão, em uma das principais companhias aéreas do país. O resultado foi o seguinte:

O passageiro poderia, portanto, escolher entre: a) comprar a passagem e pagar R$1.916,00 (taxas não incluídas) ou b) trocar 50 mil milhas pela emissão. O valor de milhas acumuladas no cartão de crédito por dólar gasto varia dependendo da bandeira e do cliente, mas no caso mais frequente, para cada 1 dólar em despesas (ou valor equivalente em moeda local), o crédito é de uma milha.

Digamos que o dólar esteja cotado em R$ 2,20. Usando essa referência para nossa conta, a conclusão é de que, para conseguir acumular 100% dessas milhas no cartão, você precisaria gastar R$ 110.000,00 (haja compra!). Em outras palavras, para cada R$ 110.000,00 gastos, você tem uma economia de R$ 1.916,00 (o valor da passagem que seria substituído pelas 50 mil milhas). Isso significa que, para cada real torrado, você teve uma economia de 2 centavos! (ou 2%.)

Claro que essa simulação foi feita para um trecho específico e em uma data determinada. Mas a cotação foi real. Os valores, claro, podem variar – e muito – dependendo da cotação do dólar, do valor da passagem, da empresa aérea, do período do ano, das regras de benefício do seu cartão e por aí vai.

Ah! Um último detalhe. Se você gasta, digamos, R$ 2.500,00 por mês no cartão de crédito, de acordo com essa simulação, vai demorar 44 meses para juntar em despesas os R$ 110.000,00 que possibilitariam gerar as 50 mil milhas e emitir a passagem "na faixa". Mas geralmente esse crédito tem validade. Normalmente de 2 anos (ou 24 meses). Ou seja, se este for o seu caso, pode ser que passe uma vida inteira gastando R$ 2.500,00 por mês sem nunca conseguir emitir com milhas uma passagem para Miami!

FOCO NISSO!

AS QUATRO SUPERDICAS PARA USAR OS PROGRAMAS DE FIDELIDADE DE FORMA INTELIGENTE:

1) Nunca pague mais por um produto por que ele rende milhas;
2) Não deixe a validade consumir os pontos que você acumulou;
3) Centralize os pontos em poucos programas de fidelidade;
4) Não se torne escravo das milhas.

23%
dos brasileiros estão cadastrados em programas de fidelidade.[29]

7.4 Seguros: carro, casa, vida...

"Existem coisas piores na vida que a morte. Você já passou uma tarde com um corretor de seguros?" – Woody Allen

Convenhamos: gastar dinheiro com um bem de consumo palpável, como roupa, eletrônico, sapato ou livro, ou com experiências como viagens e jantares, é muito mais gostoso do que com desgraça – ou com a prevenção dela.

Mas deixando o aspecto emocional de lado, e olhando para a questão financeira. Fazer um seguro é um bom negócio? Vale a pena? Vamos analisar caso a caso.

Seguro de carro

Apesar da cultura do seguro de automóvel estar extremamente disseminada na nossa sociedade atual, ainda há muita gente que se pergunta se vale a pena pagar por ele. Algumas pessoas se sentem tão incomodadas de pagar pelo serviço – nem sempre usado – que acabam abrindo mão do seguro.

Por outro lado, com a quantidade crescente de automóveis e motoristas, muitas vezes um acidente pode acontecer não por culpa sua – por mais exímio que você seja na direção. E se alguém bater feio no seu carro? E se essa pessoa não tiver seguro nem dinheiro, e você tiver que arcar com o prejuízo? Você está disposto a desembolsar de uma só tacada toda essa montanha de dinheiro?

Enfim. Vamos analisar juntos se compensa ou não fazer uma apólice para o veículo.

SHERLOCK EM AÇÃO!

QUATRO ITENS A SEREM AVALIADOS

Aspecto psicológico: É fundamental levar em consideração o tipo de risco que o proprietário do carro está disposto a correr. No caso dos seguros mais altos, aqueles cujo valor chega a 33% do preço do automóvel, por exemplo, seria possível comprar um segundo carro idêntico em três anos, se o dinheiro do seguro fosse poupado e aplicado. No entanto apólices tão altas assim são raras. Normalmente o valor vai de 3 a 12% do valor do veículo. Se uma colisão acontecer, você vai ter dinheiro suficiente para pagar o conserto do seu carro - e eventualmente o do outro? Qual impacto isso teria no seu orçamento e no seu bolso? Muita gente se sente mais tranquila pagando pelo seguro. E o aspecto psicológico não pode ser desprezado.

As contas: é preciso sempre fazer as contas. Digamos que o dono de um carro considere o valor do seguro muito alto (para algo que não necessariamente será usado), e decida juntar o dinheiro e deixá-lo reservado para cobrir eventuais prejuízos com o veículo. Supondo que o custo do seguro representa 7% do valor do carro, o que acontece?

Para começar, ele vai demorar pouco mais de 14 anos para gastar com seguro o equivalente ao preço total do veículo. Pois bem. Se o carro nunca for roubado ou batido nesses 14 anos, ele terá lucro (pois terá economizado e aplicado 100% do valor). Se o carro for roubado uma vez nesses 14 anos, fica "elas por elas" (pois, ao final do período, terá tido uma despesa de soma equivalente à que gastaria no seguro). Mas, se o carro for roubado ou tiver perda total mais de uma vez nestes 14 anos, o dono terá amargado um baita prejuízo - e a economia não terá valido a pena. Tudo sem falar em acidentes menores e prejuízos a terceiros - geralmente cobertos de forma integral pelos seguros, e com potencial de estrago enorme no bolso daqueles que não têm um plano.

Relatividade: avalie a importância do carro na sua vida. Você o utiliza para trabalhar, para estudar? Se você usa e depende muito do automóvel e não teria dinheiro para repor mediante um furto ou roubo, o ideal pode realmente ser pagar o seguro, por mais cara que seja a parcela.

As probabilidades: o risco de ter um acidente não é desprezível, seja na cidade ou na estrada. Do momento que você sai do portão de casa até o que estaciona o carro novamente, ele está em perigo. Talvez num cruzamento, talvez em uma desatenção sua com o toque do celular, talvez nas mãos de um manobrista desastrado, talvez com outro motorista que perdeu o controle vindo na direção oposta. Não importa a origem do problema, o custo muitas vezes cairá direto no seu bolso. E com o peso de uma bigorna. Você está disposto a correr esse risco?

O valor do seguro é muito "elástico". Traduzindo, ele muda para caramba! As seguradoras logicamente são empresas com fins lucrativos, e a ideia é que, somadas todas as apólices, o valor seja maior que a despesa de todos os sinistros – caso contrário, não existiriam seguradoras! No fundo, quem não bate o veículo ou não tem o carro roubado é que paga, na forma de rateio, por aqueles que tiveram problemas. Mas quais são alguns fatores que influenciam no preço que a seguradora te passa?

Entenda o que interfere no preço do seguro:

Experiência: para as seguradoras, a idade está relacionada ao nível de responsabilidade no trânsito. Elas fazem preços bem camaradas para motoristas mais experientes. E quando há jovens, com carteira de habilitação recente, que utilizam o veículo, o preço do seguro tende a subir automaticamente. Não é algo da cabeça dos corretores, são estatísticas que embasam estas regras. Uma delas diz, por exemplo, que motoristas entre 55 e 65 anos têm muito menos chance de colisões com perda total do veículo.

Rastreador: é possível conseguir descontos de até 20% no preço do seguro se você tiver um rastreador no carro, pois ele facilita a localização em caso de furto ou roubo, reduzindo o risco para a seguradora. Em alguns casos, é condição obrigatória a instalação do rastreador, e elas mesmas podem oferecer o aparelho, o serviço de instalação e arcar com os custos.

Localização: Morar ou trabalhar em lugares mais seguros (onde a incidência de assaltos e furtos é mais baixa) e sem riscos de alagamento ajuda a abater o valor do seguro.

Garagem: Manter o carro guardado em estacionamento no trabalho, na residência ou durante outras atividades corriqueiras (em vez de parar sempre na rua) é outro fator levado em conta. Em alguns casos, compensa até fazer uma cotação de estacionamento para ver se o desconto dado pela seguradora não cobre o gasto.

Forma de pagamento: quem paga à vista geralmente ganha desconto.

Fidelidade: Algumas seguradoras dão descontos cumulativos a cada ano em que o contrato é renovado (particularmente se não houve sinistro na vigência da apólice anterior).

Alarme: o acessório é um fator que pesa positivamente na hora de fechar o seguro.

Sexo do condutor: as seguradoras dão descontos para as mulheres. Isso porque as estatísticas também têm mostrado que motoristas do sexo feminino são mais cuidadosas e se acidentam menos do que os motoristas homens.

Modelo do veículo: alguns carros são mais visados por bandidos que outros. Quando menor o histórico de sinistro com a marca e modelo que você está cotando, mais positivo o impacto na redução do preço.

Seguro de casa

Incêndio, vazamento, roubo, ou qualquer outro tipo de desastre. Ter um seguro de casa pode ser interessante para remediar dores de cabeça como essas. Lembre-se de que possivelmente seu imóvel é seu maior patrimônio em termos pecuniários. Ou seja, a maior parte do que você acumulou ao longo da vida está imobilizada nessas paredes que te cercam. E se um problema grave vier a acontecer, e comprometer justamente esse naco grande do que você demorou anos para construir?

Mas, assim como no caso da apólice de carro, fazer o seguro exige alguns cuidados. E para isso separamos dicas que ajudam você a acertar no alvo nessa hora.

FOCO NISSO!

ESCOLHA O SEGURO PARA SUA CASA DO JEITO CERTO:

Analise o perfil detalhado da sua residência;

Faça uma pesquisa em, pelo menos, três empresas especializadas, e se informe sobre a cobertura que é oferecida pelas seguradoras;

Uma boa forma de conseguir descontos é fazendo o seguro coletivo com vizinhos de prédio ou de condomínio. Para que a iniciativa dê certo, no entanto, é importante que os participantes tenham aproximadamente o mesmo valor a ser coberto pelo seguro;

Questione os corretores sobre como funciona e a qual valor você teria direito de indenização em caso de sinistro;

Informe-se também sobre a data a partir da qual a apólice passará a valer efetivamente, caso o serviço seja contratado;

Não se esqueça de incluir os eletroeletrônicos na cobertura do seguro, pois estes são os itens mais visados pelos ladrões. A inclusão deles pode encarecer a parcela, mas pagar pelo serviço sem incluí-los pode não resolver seu problema caso haja um sinistro;

Se você mora em um edifício, informe-se sobre o seguro contra incêndio do próprio prédio antes de fechar o seguro do seu apartamento. Isso porque você poderá pagar por algo que já tem a cobertura do seguro do condomínio e ter uma despesa dobrada;

Fique atento até mesmo à possibilidade de haver um seguro específico para o seu apartamento já contemplado no valor cobrado pelo condomínio;

Em muitos casos os planos de seguro trazem uma série de pequenos benefícios, reparos e serviços que podem ser requisitados para seu imóvel sem que qualquer desgraça tenha acontecido. Assistência elétrica ou hidráulica, por exemplo, seja para trocar uma torneira, fechar um pequeno vazamento, reparar uma luminária ou consertar uma tomada que não está funcionando, podem ser úteis no dia a dia - e já fazem parte do pacote.

#FICAADICA!

Para compensar o fato de alguns segurados pagarem continuamente o seguro, sem ter tido a necessidade de acionar seus serviços (sem sinistro), tornou-se quase uma convenção dar descontos progressivos. Seguro de casa e de carro costumam oferecer ao consumidor um ajuste para baixo no valor de seus contratos, durante a renovação, após o primeiro ano de contratação. Os descontos costumam girar em torno de 5% ao ano até chegar ao limite de 30%. Fique atento e converse com sua seguradora antes de renovar automaticamente sua apólice.

Seguro de vida

Esse talvez seja o mais polêmico dos seguros. Uma coisa é pensar em desastres como um carro batido ou uma casa roubada. Outra, muito diferente, é pensar na própria morte! Bate na madeira!

Mas respire fundo, e vamos fazer o que nos resta: uma análise financeira de tudo isso. Você tem dependentes? Sua renda é a fonte de sustento da família – esposa, marido, filhos, pais? O que aconteceria com eles se por qualquer motivo inesperado você não pudesse mais estar presente?

São questões que pesam na hora de optar ou não por um seguro de vida. E é bom colocar tudo na balança.

RUMO CERTO!

7 CUIDADOS PARA QUEM CONTRATA UM SEGURO DE VIDA

Apesar de ser o seguro mais delicado de se fazer, ele exige muita racionalidade de quem o contrata.

Considere quem depende efetivamente da sua renda. O seguro de vida é recomendável para quem tem dependentes, sejam filhos ou não.

Para quem não tem filhos ou dependentes talvez seja mais interessante investir em um seguro invalidez.

Se for fazer um seguro de vida, faça uma boa pesquisa de mercado em pelo menos três grupos diferentes.

Sempre faça as contas de quanto cada dependente receberia por mês em caso de morte.

Certifique-se de que os dependentes (em caso de seguro acionado) recebam renda suficiente ou quase para arcar com seus gastos e não sofrer um impacto financeiro com um óbito na família.

Leia tintim por tintim as cláusulas, e não atrase os pagamentos. Existem diversos casos de pessoas que pagaram pela apólice durante anos, esqueceram por poucos meses, e tiveram uma fatalidade, ficando sem a cobertura contratada.

10%
é a estimativa de crescimento para o setor de seguros em geral no Brasil.[30]

CHECKLIST

LEMBRE-SE DOS PONTOS CRUCIAIS DESTE CAPÍTULO!

TELEFONIA:

Não se prenda a uma operadora a vida toda.

Poucos setores de consumo são tão influenciados pelo poder de barganha quanto o da telefonia. Pesquise de tempos em tempos. As operadoras concedem descontos significativos para conquistar ou manter seus clientes.

Renegocie anualmente, use a cartada da portabilidade e faça seu consumo caber no pacote - ou aumente o plano que você tem.

VIAGEM:

Planeje com antecedência.

Pacotes geralmente trazem um custo menor.

Não perca tempo demais atrás da cotação perfeita do câmbio - acertar no alvo é praticamente impossível, e a diferença para o valor que você vai comprar não merece tanta dedicação.

PROGRAMAS DE FIDELIDADE:

Tenha em mente que os pontos já estão embutidos nos preços que você paga ("não existe almoço grátis").

Não faça suas escolhas de compra com base nas pontuações (você pode pagar muito mais caro por conta disso).

Não se esqueça de verificar a data de vencimento dos pontos.

SEGUROS:

Sempre avalie o seu bem, os riscos e as vantagens de fazer um seguro

Na hora de contratar um serviço, faça uma boa cotação em pelo menos três seguradoras.

Veja se possui algumas das características que as seguradoras valorizam e peça descontos.

Analise bem a cobertura do seguro antes de assinar o contrato. Mantenha os pagamentos em dia e evite uma surpresa na hora em que precisar dos serviços.

8

PETGASTOS

Até que você ame um animal, uma parte de sua alma permanece adormecida. – Anatole France

Ter e manter um gatinho, um cãozinho ou qualquer outro animal de estimação é uma delicia! Você pode chegar a casa cansado, estressado, depois de um dia difícil, de uma briga na noite anterior, de uma bronca severa... e seu pet sempre estará ali, de olho brilhando e rabo abanando, te achando o dono ou dona mais especial do mundo. E sem se importar com nada mais.

Mas um cachorro ou gato é também, em certa medida, um filho, e a brincadeira tem um peso no seu bolso. Um bichinho de estimação requer cuidados e atenção com a saúde e o bem-estar, e os gastos podem surpreender muita gente. No pior dos casos, geram o abandono, uma das atitudes mais cruéis e covardes que o ser humano pode ter diante de um animal com quem, implicitamente, se comprometeu a cuidar. Por isso, antes de pegar um pet, seja responsável e tenha plena consciência sobre os gastos que ele vai implicar.

Um levantamento realizado em 2013 junto a profissionais da área de veterinária, apontou quais seriam as medidas e cuidados fundamentais para oferecer saúde e qualidade de vida aos animais de estimação. E, com base nestas informações, montamos para você uma tabela de gastos específica para os pets.

É importante notar que os veterinários consideraram apenas o básico. Não foram incluídos nesse levantamento rações diferenciadas, banhos de hidromassagem, roupinhas, enfeites, terapias ou tratamentos específicos de que o seu animalzinho poderá precisar.

8.1 Gastos iniciais

No caso de cães e gatos – os animais de estimação mais comuns para as famílias brasileiras – a fase inicial da adoção costuma ser a mais trabalhosa e dispendiosa do ponto de vista financeiro. Isso porque, na maioria dos casos, o gatinho/cachorrinho é ainda filhote (meigo!) e requer cuidados especiais.

É nesta fase que o animal vai precisar tomar uma bateria de vacinas e ir com frequência maior ao veterinário. Vamos considerar seis aspectos. Para começar, este gasto seria apenas inicial, no primeiro ano, e não se repetiria ao longo da criação do seu companheiro de quatro patas. Itens como a compra da casinha, da coleira e a castração foram contabilizados apenas uma vez.

Esses itens são exemplos de medidas essenciais mínimas e obrigatórias para o bem-estar do animal. E mais, fomos extremamente conservadores nessa simulação. Os preços, é claro, podem variar muito! O céu é o limite. Mas usamos na estimativa os valores mais baixos encontrados no mercado, para grandes capitais do país.

GASTO INICIAL ESTIMADO/PRIMEIRO ANO DE VIDA							
Porte do Animal	Vacina	Coleira	Castração	Vermífugos	Casinha	Veterinário	TOTAL
Pequeno (até 6,8 kg)	R$ 120	R$ 35	R$ 150	R$ 35	R$ 100	R$ 150	R$ 590
Médio (entre 6,8 e 9,1 kg)	R$ 120	R$ 50	R$ 225	R$ 70	R$ 200	R$ 150	R$ 815
Grande (acima de 9,1kg)	R$ 120	R$ 70	R$ 300	R$ 100	R$ 300	R$ 150	R$ 1.040

Assim, enquanto o primeiro ano de vida de um cachorrinho pequeno possivelmente custe a você aproximadamente R$ 590 (considerando itens bem modestos de coleira, casinha, e um veterinário nada careiro), um filhote de labrador vai demandar mais de mil reais.

E note que ainda não levamos em conta despesas mensais corriqueiras, como banhos ou ração! Custos que não param no primeiro ano. Vamos ver quanto isso sairia a seguir.

8.2 Gastos fixos mensais

Cachorros de pequeno porte

Despesas	Gastos estimados por mês
50g/dia ou 1,5 kg/mês de ração	R$ 25 (um pacote de 3 kg sai por cerca de R$ 50 e dura dois meses)
4 banhos/ mês	R$ 120 (R$ 30 cada)
Veterinário	R$ 50
Total	R$ 195

Cachorros de médio porte

Despesas	Gastos estimados
300g/dia ou 9 kg de ração/mês	R$ 150
2 banhos mensais	R$ 100 (R$ 50 cada)
Veterinário	R$ 50
Total	R$ 300

Cachorros de grande porte

Despesas	Gastos estimados
500 g/ dia ou 15 kg/mês de ração	R$ 250
2 banho mensais	R$ 150
Veterinário	R$ 50
Total	R$ 450

O porte do seu animal de estimação naturalmente terá um impacto significativo no tamanho da despesa que ele implicará. Geralmente o banho de cachorros de grande porte, como um Golden Retriever é mais caro que o de um pequeno, como um Lhasa Apso. Por outro lado, o número de banhos e tosas tende a ser mais frequente com animais menores. Outro fator a ser considerado é a alimentação. A relação é simples e intuitiva: quanto maior, mais ração come.

Por fim, note que cada família cuida do seu animalzinho de estimação de um jeito, com mais ou menos brinquedos e ossinhos, ração mais popular ou cheia de nutrientes especiais, com ou sem passeadores profissionais. E cada aspecto desse faz com que a conta se altere, e seja sempre muito peculiar e pessoal.

No nosso exemplo, consideramos apenas três itens: alimentação, banho e veterinário. Mas já é o bastante para mensurar o potencial impacto financeiro. No caso de um cachorro de pequeno porte, o custo seria de aproximadamente R$ 195 ao mês. Para os de médio porte, cerca de R$ 300. E, para os maiores, por volta de R$ 450.

8.3 Gastos no decorrer da vida

Com base na estimativa de anos vividos por cada tipo de pet, é possível ainda projetar os gastos a longo prazo com os animais de estimação.

Mais uma vez, o exemplo usado é o do cachorro. Você pode refazer a estimativa de cálculo com base em seus próprios gastos. Obviamente, os valores irão variar dependendo da cidade, do bichinho, do petshop, e de quanto o dono paparica o animal. Porém, com uma média, é possível ter uma ideia das despesas, permitindo que você adquira maior conhecimento e tome uma decisão mais embasada antes de assumir este compromisso.

Para quem pensa em ter um animal e procura alternativas para reduzir gastos, vale a pena checar serviços de universidades e ONGs (Organizações Não Governamentais) que possam oferecer vacinas, atendimento veterinário e até cuidados de higiene com taxas mais em conta ou até gratuitamente.

Pesquise e tente descobrir o que há de oferta de serviço e suporte para pets na sua cidade. Veja quanto você pode gastar com seu animalzinho de estimação ao longo dos anos de parceria:

Porte	Gasto inicial	Gasto fixo mensal	Estimativa de vida	Juros (Acima da inflação)[31]	Estimativa de gasto total
Pequeno	R$ 590	R$ 195	14 anos	0,35%	R$ 45,6 mil
Médio	R$ 815	R$ 300	12 anos	0,35%	R$ 57,4 mil
Grande	R$ 1.040	R$ 450	9 anos	0,35%	R$ 60,5 mil

Considerando o gasto inicial com cada cachorrinho, a estimativa média dos anos de vida de cada animal em função do porte, e multiplicando esse período pelo custo mensal para sustentá-lo, o resultado é a estimativa de gasto total.

Sobre essa conta, duas observações. Em primeiro lugar, o valor dos juros precisa entrar no cálculo (como mostra a tabela) em função de um conceito que em economia se chama "custo de oportunidade". Basicamente ele indica o que você deixa de ganhar por escolher alocar os recursos de uma determinada forma, e não de outra. Nesse caso, ele aponta quanto você ganharia se, em vez de gastar com seu pet, fizesse um investimento. Para o exemplo em questão, usamos a rentabilidade de 0,35% acima da inflação.

Em segundo lugar, logicamente estamos considerando todos esses valores em termos reais. A inflação que ocorrerá ao longo de todo o período invariavelmente vai fazer o preço de cada item (e portanto da conta toda) subir muito, e o seu desembolso em termos nominais será maior. Por isso, você deve interpretar o resultado dessa conta, a estimativa de gasto total, como "quanto o pet custaria em termos de poder de compra nos dias de hoje".

Para animais de pequeno porte, a partir das premissas e valores que utilizamos nos cálculos anteriores, a conta resultou em uma previsão de despesa de R$ 45,6 mil. Médio porte, R$ 57,4 mil. Cachorros grandes, R$ 60,5 mil.

No dia a dia, se você gosta de ter um companheiro assim, vai valer cada centavo! Essa parceria é realmente uma delícia. Mas, além da dedicação emocional e de tempo, é importante se planejar e preparar seu bolso. Como os números mostram, os valores não são desprezíveis.

CHECKLIST

LEMBRE-SE DOS PONTOS CRUCIAIS DESTE CAPÍTULO!

Antes de aceitar de presente, adotar ou comprar um cãozinho ou gatinho, tenha consciência dos gastos que ele representa. Não existe nada pior do que abandonar o animal depois de tê-lo recebido em sua casa! Seja responsável.

O primeiro ano de vida do animal tende a ser um período com gastos concentrados.

Ponha na ponta do lápis e prepare seu orçamento.

A intensidade com que traz ossinhos, presentes, e a qualidade que exige para ração, banho ou petshop podem alterar substancialmente o tamanho da conta ao final do mês.

Se tiver poucos recursos financeiros e quiser muito um cachorrinho, opte por um de pequeno porte, pois os gastos tendem a ser menores também.

9

A VIDA – E O BOLSO – A DOIS

O casamento é tratar de solucionar problemas que nunca existiram quando éramos solteiros. – Eddie Cantos

Viver um relacionamento, ainda mais se for uma união estável ou casamento propriamente dito, implica em vantagens e desvantagens, como tudo nessa vida.

Do ponto de vista financeiro, as vantagens giram em torno da divisão de despesas, que é algo muito valioso, especialmente em cidades onde o custo de vida é alto. Em tese, tudo o que é comprado para a sua casa tem o preço compartilhado. Um sofá de R$ 1.500 para uma pessoa solteira, custa R$ 1.500. Para uma pessoa casada, sai pela metade do preço: R$ 750. Casamento por este ângulo é economia pura!

E mais. Estar casado significa ganhar um gás extra na hora de poupar recursos e fazer investimentos. Se queremos fazer uma viagem ao exterior ou dar aquela entrada para comprar um novo apartamento, com uma parceira ou parceiro fica mais fácil acumular as sobras do orçamento.

Além disso, não é novidade que quem tem um relacionamento sério tende a fazer programas mais simples e menos custosos do que quem está solteiro. Não é uma regra, mas, para muita gente, fica mais fácil ter uma vida econômica e abrir mão de certos gastos se houver uma boa companhia em sua própria casa.

Em muitos casos, as principais despesas dos solteiros são roupas, jantares, viagens, bares, baladas. A dos casados, aluguel, alimentação, contas de casa (água, luz, telefone).

O lado ruim disso tudo é que o casal, inevitavelmente, precisa estar na mesma toada para que as coisas caminhem bem. Tudo fica mais fácil quando ambos têm rendimentos e metas compatíveis.

Se um quer juntar dinheiro para comprar um imóvel e o outro só pensa em investir suas economias em uma viagem, isso é motivo para desentendimento! Se um pensa em juntar dinheiro de forma disciplinada e o outro pensa em viver apenas o hoje, certamente haverá muito desgaste na relação! Se um sonha em contar com o outro para ajudar a poupar e construir um patrimônio e o outro quer investir pesado apenas em sua formação acadêmica e profissional, vai haver briga! E assim caminha a humanidade. As diferenças na visão financeira e até no momento de vida podem pesar a ponto de gerar separações, o que não é raro acontecer. Alguns levantamentos afirmam que dois terços das separações acontecem por algum problema ligado a dinheiro!

OS 5 MANDAMENTOS

PARA QUE O CASAMENTO CONVIVA BEM COM O BOLSO

Discuta o orçamento e os objetivos claramente.

Divida as responsabilidades sobre as contas para não deixar ninguém sobrecarregado.

Tenha pelo menos um plano em parceria para realizar a dois.

Não tome decisões sozinho.

Não se omita quando houver coisas a serem resolvidas. Participe das discussões, ajude e dê opiniões.

Parece óbvio, mas não é. Discutir o orçamento e os objetivos claramente com o parceiro é uma forma de unir o casal, resolver as diferenças e manter um foco a dois efetivamente.

Como sabemos, amor por amor nem sempre é o suficiente para uma relação. A questão financeira pesa e muito em relacionamentos, por isso fazer uma "DR" (discutir a relação) de vez em quando é um ponto positivo para quem se propõe a casar ou a morar junto.

Não é raro ouvirmos relatos de pessoas que sofrem muito com essas diferenças quando já estão extremamente envolvidas e já não conseguem negociar com o outro mudanças na visão de mundo e no jeito de administrar as finanças.

Essas diferenças podem levar a relação ao fracasso, pois geram desgaste econômico e pessoal. Imagine você, uma pessoa que é extremamente controlada com os gastos e organizada, tendo que, de repente, conviver com outra que adora gastar desenfreadamente no shopping e sair passando o cartão de crédito com compras que nem sempre são necessárias. Não deve ser nada fácil, não é?

Uma relação assim gera muito sofrimento porque os parceiros podem se amar verdadeiramente, mas não se toleram quando o assunto chega ao bolso, seja pelo custo do supermercado, da bolsa nova, do pneu especial para o carro, ou pelo fato de terem objetivos tão desalinhados.

A sintonia é necessária, inclusive, para não gerar falsas expectativas e decepções. Por isso, talvez essa seja a dica mais importante para um casal: converse! Fale abertamente sobre o que quer para a sua vida e como pretende chegar lá.

Em alguns casos, apesar das diferenças, as conversas são tão produtivas que causam um impacto positivo sobre o parceiro que tem mais dificuldade para se programar e controlar suas despesas.

Outro tema que leva casais ao cartório buscando o divórcio é a sobrecarga de responsabilidades. Bem como o serviço de casa, as contas também devem ser compartilhadas. Dividir as responsabilidades sobre as contas para não deixar ninguém sobrecarregado é uma questão de bom senso, que traz equilíbrio ao lar e garante uma vida saudável a dois.

A responsabilidade sobre as contas não é uma simples questão de pôr a mão no bolso e tirar o dinheiro para quitar um boleto. Compartilhar a administração das contas significa participar, mesmo, do processo. Desde abrir as cartas que chegam das empresas e prestadoras de serviços, até realizar a análise dos valores cobrados e o controle do prazo final para o pagamento, passando também pelo arquivamento adequado e acessível dos comprovantes.

Deixar que só um faça isso pode parecer até mais prático, porém acaba gerando uma exclusão e afastamento do parceiro menos envolvido com o processo e, por outro lado, a sobrecarga de quem se habilita a tocar o barquinho, o que uma hora ou outra acaba sendo desgastante – e o barco vira.

O envolvimento de ambos também passa por ter pelo menos um plano para realizar a dois. Casal que sonha junto tem uma tendência maior de se entender financeiramente. Isso não significa que cada um não possa ter seus planos pessoais e individuais. Um quer assistir aos jogos da próxima Copa do Mundo, o outro quer trocar de carro. Os dois podem, sim, fazer caminhos diferentes e individuais, mas em algum projeto devem trabalhar unidos.

Quando o casal não tem objetivos em comum, fica suscetível às crises por conta do dinheiro com muito mais facilidade. Ter uma meta conjunta ajuda a unir as forças do casal e funciona como um estímulo para que falem a mesma língua e aceitem os mesmos sacrifícios para alcançar aquilo que ambos se propuseram a realizar.

Seja como for, em qualquer circunstância por mais difícil que pareça, tente nunca tomar decisões sozinho. Escutar a opinião do outro é importante para manter o equilíbrio e o envolvimento do casal com as coisas da casa.

Por isso, seja sempre gentil e justo: divida a responsabilidade de cada escolha com a sua parceira ou parceiro. Casamento é um eterno compartilhar. Se não há compartilhamento, não há sentido. E, em breve, pode não haver casamento!

Quando um homem utiliza parte da poupança do casal para comprar um novo som para o carro sem antes discutir com a mulher, automaticamente estará causando, no mínimo, um mal-estar com sua parceira. É preciso união a ponto de que as decisões sejam discutidas, por mais que possam parecer conflitantes. Compartilhar os passos a serem dados com o dinheiro do casal é uma questão de aperfeiçoamento na administração da casa, amadurecimento da relação, e também uma questão de respeito entre parceiros.

Outro pecado que um casal pode cometer quando o assunto é finanças é o da omissão. Por isso é essencial nunca se omitir quando houver coisas a serem resolvidas, participar de todas as discussões, ajudar e dar opiniões. Pulamos uma conta de luz e a energia pode ser cortada a qualquer momento. O carro quebrou e o mecânico quer cobrar uma fortuna. Os preços deste supermercado estão subindo muito acima da média da inflação e é preciso arranjar outro. Estes são alguns dos problemas do dia a dia que devem ser levados a sério e merecem toda a nossa concentração e esforço para serem resolvidos de forma breve e sem causar grandes prejuízos.

Da mesma forma que as pessoas que detectam estes problemas têm a obrigação de informar os "perrengues" para o parceiro, quem fica sabendo dos problemas não pode jamais se omitir. É fundamental que ambos estejam envolvidos com o processo de pensar e estudar possíveis soluções.

Omitir-se é um erro grave nos casamentos. Erro que gera desgastes incalculáveis. Fique atento, colabore com a detecção de problemas, discuta possíveis soluções e tente ajudar efetivamente, indo ao banco, fazendo ligações para *call centers* quando necessário, pesquisando comprovantes antigos.

#FICAADICA!

Comunicação é fundamental entre o casal. E de duas uma: ou faça uma claríssima (e respeitada) divisão de tarefas, ou torne as finanças um tópico comum nas suas conversas. Desde a compra de copos até qual empresa de canal por assinatura contratar. Casamento é compartilhar. Não compartilhar responsabilidades e decisões gera mal-estar, confusão, sobrecarga e alienação.

9.1 O amor está no ar (e no bolso!)

Mas e para quem namora? Tecnicamente, poderiamos dizer que o namoro é uma etapa mais suave da vida, com um nível de aprofundamento menos desgastante do que o casamento e mais sutil do ponto de vista financeiro, já que não se divide a mesma casa e, portanto, as despesas. Mas... não é bem assim!

Se você, sua parceira ou seu parceiro cogitam se casar (ou mesmo que nem pensem nisso), é importante se atentar à questão financeira. Isso porque o namoro pode e deve ser encarado como uma fase de testes para a relação também quando o assunto é dinheiro.

É a hora certa para detectar divergências e tentar saná-las antes que seja tarde.

Aproveite o namoro para conhecer e, entre um beijo e outro, discutir finanças pessoais também. Se vocês ficarem juntos para sempre, será uma forma de aperfeiçoar os laços. Se vocês se separarem um dia, certamente, sairão com uma troca de experiências que poderá ser importante para futuras relações – e também para seu bolso.

FAÇA A LIÇÃO DE CASA

ASSIM QUE VOCÊ SENTIR QUE O NAMORO É SÉRIO...

Estabeleça metas em conjunto, como viagens. Dessa forma, ficará mais fácil adotar o hábito de poupar dinheiro a dois.

Faça uma planilha de casal para registrar os gastos a dois.

Anotar os gastos é, como sempre, a única forma de detectar excessos e identificar onde é possível cortar pequenos hábitos em nome de um projeto maior a dois.

Por outro lado, você e sua parceira/o devem continuar fazendo a planilha pessoal à parte. Por uma questão de respeito e individualidade, é recomendável que cada um mantenha seus ganhos e gastos pessoais anotados e controlados separadamente sem que haja interferência mútua.

Trocar o restaurante na rua por um jantar romântico em casa é sempre uma ótima dica para namorados que pensam em economizar. Nunca cozinhar a dois esteve tão em alta!

Outra coisa que funciona muito bem é dar preferência ao cineminha às quartas-feiras, quando o valor da sessão em vários lugares cai pela metade. Ou ainda aproveitar as salas onde seu banco ou operadora de celular oferecem desconto na entrada.

Passeios ao ar livre em parques e visitas a museus e exposições são bons programas gratuitos, atrativos para quem está namorando.

Dissemos que pode ser interessante ter uma planilha a dois, de forma a computar adequadamente as despesas incorridas pelo casal. Mas como fazer isso? Vamos ver.

O QUE DEVE ESTAR NA SUA PLANILHA A DOIS?

- Frequência com que sai para jantar/almoçar fora e o valor médio gasto.
- Número e valor de presentes do casal fora de datas comemorativas.
- Número e valor de presentes dados a familiares.
- Valor dos presentes trocados em datas clássicas como Dia dos Namorados, Natal e aniversário.
- Frequência e valor médio gasto em sessões de cinema.
- Frequência e valor médio gasto com peças de teatro.
- Frequência e valor médio gasto com shows.
- Frequência e valor médio gasto com viagens.

Após registrar e somar os gastos, faça uma simulação do mês e do ano. Para que a planilha fique ainda mais completa, calcule quanto o dinheiro gasto pelo casal renderia se estivesse aplicado na caderneta de poupança (aproximadamente a 0,5% ao mês) ou ainda no Tesouro Direto (com taxa mensal aproximada de 0,73%).

Fazendo estes cálculos, você e sua namorada/namorado terão uma noção muito realista e precisa sobre seus gastos e poderão avaliar onde são necessários ajustes para tornar seus projetos a dois viáveis.

49%

das pessoas divorciadas relatam que brigavam muito por conta do perfil econômico diferente ou em função de mentiras sobre os gastos.[32]

#FICAADICA!

Para muitas mulheres, o dia do casamento é o mais especial de suas vidas. Desde criança costumam ver a mágica da união, da festa, do casamento. O vestido, os detalhes, os docinhos. Elas pensam em tudo, nos mínimos detalhes. E com os olhos brilhando imaginam o casamento dos seus sonhos. A questão é que este pode ser um dia maravilhoso, mas não é o último da vida!

É preciso fazer um planejamento cauteloso e com muita antecedência para não deitar no céu da noite de núpcias... e acordar no inferno financeiro.

CHECKLIST

LEMBRE-SE DOS PONTOS CRUCIAIS DESTE CAPÍTULO!

A vida financeira a dois pode trazer grandes vantagens se houver diálogo e cumplicidade.

Discuta antes de tomar decisões.

Compartilhe as responsabilidades, não puxe para si todas as broncas da casa.

Tenha planos e metas compartilhadas. Isso facilita o comportamento financeiro no dia a dia.

Converse muito sobre os projetos de vida e o modo de ver o mundo. Só assim será possível um consenso que respeite as diferenças e não deixe nenhum dos parceiros frustrados por expectativas não atendidas ou por cederem demais.

Namoro também é coisa séria, e mexe com seu bolso!

10

COLOCANDO OS FILHOS NA CONTA

É na educação dos filhos que se revelam as virtudes dos pais. – Coelho Neto

É só ver uma foto de um bebezinho que quase todo mundo, até quem não tem filho, faz aquela cara meiga e solta um "ahh, que fofo!!!". Mesmo as agruras, as noites sem sono, as fraldas trocadas, os sofás rabiscados, as peças quebradas, a bagunça de brinquedos espalhados pela casa ficam irrelevantes perto da satisfação que um filho proporciona.

Ver aquele pimpolho ou aquela princesinha crescendo, correndo pela casa, aprendendo a falar, voltando da escola cheio ou cheia de histórias para contar, não tem preço. Mas, mesmo com todas as alegrias que eles trazem, não dá para negar (e quem é pai ou mãe sabe): filho custa caro!

Embora de um jeito ou de outro todos tenhamos sido "bem criados" e "dado certo na vida" (possivelmente foi assim com quase todas as pessoas que conhece), ter um filho de forma "atropelada" e sem fazer qualquer tipo de planejamento financeiro não é o cenário ideal. E você pode reduzir drasticamente o impacto no seu bolso adotando algumas estratégias financeiras.

COMO TER FILHO E DINHEIRO NO BOLSO AO MESMO TEMPO?

Procure ter um plano de saúde para que possa ter toda a assistência antes, durante e depois do parto, além de garantir as consultas do bebê com um pediatra;

Faça uma lista dos itens que precisa como móveis, carrinho de bebê, mamadeira, banheira, roupinhas... e pesquise com bastante antecedência. Assim, você poderá encontrar preços melhores. Se comprar tudo em um único lugar, poderá conseguir um bom desconto. Faça isso antes de o bebê nascer, para ter mais tempo disponível e não submeter a criança a essa maratona nas lojas;

Organize um chá de bebê para arrecadar pelo menos parte dos itens dos quais irá precisar. O chá de bebê ajuda muitas mães a fazerem um estoque que ameniza gastos nos primeiros anos de vida da criança;

Faça uma estimativa e divida em cotas os presentes e fraldas que pedir por tamanho. Lembre-se de que as crianças crescem rapidamente e muitas peças podem se perder se todo mundo der tamanho pequeno ou para recém-nascido;

Fraldas são, certamente, o item mais desconhecido para quem não tem filhos ainda. Para comprar a fralda certa, não existe receita além de ir testando. As muito baratas tendem a ser também muito frágeis e se deterioram demais. Fraldas resistentes e muito mais firmes têm preços exorbitantes. O ideal é procurar o meio-termo, aquelas que tenham boa qualidade e preços moderados.

Se não der para comprar pratinho e colherzinha, não se preocupe. As crianças começam a comer somente a partir dos quatro meses. Por isso, trabalhe com prioridades e não se descabele por produtos e itens que não precisarão ser usados nas primeiras semanas;

Hoje em dia existe uma infinidade de peças lindas de decoração para quartos de bebês, mas na época em que você nasceu não era assim, e nem por isso você deixou de crescer feliz e saudável. Tente filtrar e não saia comprando tudo o que vê pela frente. O importante realmente para o bebê é ter um quarto limpo, confortável e aconchegante;

Converse com pessoas que passaram pela experiência e tiveram filhos há pouco tempo. Isso pode ajudar a tomar decisões mais certeiras e evitar desperdícios financeiros.

Mas... e quando as crianças crescem, será que é possível oferecer uma vida digna e ainda ter dinheiro no bolso? A resposta é "sim"! A primeira coisa a se fazer é tentar criar um investimento com foco no seu filho. Substitua a antiga caderneta de poupança por algum fundo que ofereça rendimentos maiores. Isso é importante para reforçar o seu caixa na hora em que você mais precisar: quando seu filho alcançar a idade escolar.

Por falar nisso, é muito importante que, desde cedo, você converse com o seu filho e ensine o que é preço justo e o que é preço abusivo, assim como o que é prioridade e o que é supérfluo. Muitos pais optam, por exemplo, por não levar as crianças às lojas para comprar o material escolar no começo do ano, mas será que isso é, realmente, uma medida eficaz ou apenas um paliativo?

O diálogo desenvolverá o bom senso financeiro e, com o tempo, o filho mesmo fará opções mais bem pensadas economicamente. Se sua filha pedir a mochila das Princesas da Disney e os cadernos da Pequena Sereia (que são naturalmente mais caros pela marca), você pode negociar, explicar e pedir que ela escolha qual dos dois itens é, realmente, o mais importante para ela.

Não espere somente pelas escolas. Aproveite o dia a dia para iniciar você mesmo suas aulas de educação financeira. Deixe seu filho preparado para lidar com dinheiro sem cair nas estratégias de marketing tão usadas especialmente sobre as crianças e adolescentes.

R$ 2 milhões
é quanto pode "custar" um filho para famílias de classe média-alta, desde o seu nascimento até os 23 anos.[33]

10.1 Educação financeira para os filhos

Fiz meu primeiro investimento aos 11 anos. Eu vinha desperdiçando minha vida até então. – Warren Buffett

Você não aprendeu a lidar com dinheiro na sala de aula. Nós também, não. Embora as escolas ensinem muito sobre Machado de Assis, Camilo Castelo Branco, química molecular, atividades celulares, botânica, concordância nominal, força centrífuga ou triângulos isósceles, praticamente inexiste a lição sobre como administrar o dinheiro, como fazer um orçamento, como criar um planejamento financeiro para equalizar dívidas e como analisar e escolher bons investimentos. Mesmo sendo fatores de grande impacto sobre todos os dias da sua vida e do seu bolso, muitas vezes eles não são sequer mencionados. Quando muito, aparecem em alguma questão de múltipla escolha na prova de matemática, para avaliar o aprendizado do cálculo de juros simples ou compostos.

Tudo isso significa que você teve que aprender na raça, na unha, na marra, lendo, errando, batendo cabeça e testando, tudo o que sabe sobre dinheiro e finanças pessoais. Mas isso não quer dizer que a "maldição" precisa ser hereditária. Você pode – e deve – ensinar alguns conceitos fundamentais de finanças pessoais para seus filhos.

63,1%
dos estudantes de ensino médio de 900 escolas públicas brasileiras declararam que costumam direcionar seus recursos para a compra de roupas.[34]

10.2 Como, quando e quanto

Para a maioria das pessoas, embora a consciência de ensinar sobre finanças e dinheiro esteja presente, sobram mais perguntas que respostas. Afinal, quando você deve começar a falar com seu filho sobre dinheiro? Qual é a idade adequada para aprender sobre isso? Como levar essa conversa? Que tipo de orientação passar? É bom dar mesada? Ou semanada? A partir de quando? E quanto a cada vez?

Ufa! Chega de perguntas. Vamos a algumas respostas.

O MAPA DA MINA!

O PASSO A PASSO PARA QUE SEU FILHO APRENDA SOBRE FINANÇAS PESSOAIS

PARTE 1: COMO??

- Uma das ferramentas mais importantes para a educação financeira das crianças é a mesada ou a semanada. Ela permite que a criança exercite o seu poder de controle sobre o dinheiro, aprendendo a tomar decisões e a ser responsável por cada uma delas, o que traz aprendizado e amadurecimento.

- Importância da renúncia: é fundamental ensinar às crianças que a nossa vida é feita de renúncias e que a decisão de comprar algo implica em abandonar a ideia de utilizar o dinheiro para outras coisas. Ou seja, se eu estou juntando dinheiro para ir à Disney, por exemplo, não posso utilizar a minha mesada ou semanada para ficar comprando sorvete todos os dias. Se quero poupar para comprar um tênis, não posso gastar tudo com novos games. E por aí vai. Quanto antes ela adquirir essa consciência, maior o valor que ela dará ao dinheiro e mais preparada ela estará para construir uma vida financeira saudável.

PARTE 2: QUANDO??

A criança precisa ter alguma noção de valor, e isso pode variar caso a caso. De forma geral, o ideal é que a semanada (valor pago semanalmente) seja adotada na fase dos 6 aos 8 anos. Dos 8 aos 11 anos, os pais podem adotar a quinzenada (a cada 15 dias). A partir daí, com a maior familiaridade da criança com dinheiro, prazos e renúncia, vale a pena investir na mesada (paga por mês).

PARTE 3: QUANTO??

O suficiente para comprar parte das coisas que os pais dariam. É interessante ainda motivar a poupança, ensinar a fazer um orçamento e contribuir para o planejamento e conquista de sonhos (sejam eles brinquedos, roupas ou viagens).

Não existe um valor definido que possa ser utilizado como padrão porque cada família e cada criança têm suas próprias peculiaridades. A única recomendação é que o valor não seja excessivamente alto, porque a limitação de recursos, principalmente nesta fase da vida, tende a ensinar muito mais do que a abastança.

Não inclua no pagamento da criança algumas de suas contas fixas como o transporte escolar e o lanche, porque seu filho ou filha pode querer cortar estas despesas fundamentais para poder ter mais dinheiro.

Por fim, muito cuidado ao vincular a mesada ao desempenho na escola ou ao comportamento. Se por um lado a prática funciona como incentivo e reforço positivo, por outro pode gerar na criança um mecanismo mercenário que representará chantagens para que suas obrigações sejam respeitadas e cumpridas.

10.3 O que não fazer

Falamos sobre a melhor forma de abordar a questão tão fundamental que é o assunto das finanças pessoais, do dinheiro, dos investimentos. É a melhor herança que você poderia dar a seus filhos: o conhecimento.

Mas, para garantir que tudo que saia de acordo com o planejado, é bom pontuar os erros mais comuns na hora de os pais falarem ou tratarem de dinheiro com os filhos. Fique de olho e evite essas gafes!

FUJA DO MICO!

NÃO CAIA NESSAS QUATRO CILADAS!

- USAR O COMPORTAMENTO COMO MOEDA

A estratégia de pagar a mesada ou vincular presentes ao comportamento do seu filho é controversa. Se por um lado estimula a criança a adotar um comportamento que você quer (não brigar com a irmã, tirar boas notas na escola etc.), por outro corre o risco de despertar uma atitude viciada em que ela passa a cumprir suas obrigações somente mediante algum pagamento. É preciso separar as coisas para que a criança entenda que, na sua vida adulta, não irá receber dinheiro apenas por estar cumprindo com suas responsabilidades.

- ACHAR QUE AMOR É TRADUZIDO EM DINHEIRO OU PRESENTES

Mesmo que você tenha dias puxados e não muito tempo para ficar com seu filho, não tente agradá-lo somente com presentes ou dinheiro. Você pode gerar um vício de comportamento pouco salutar, e carinho é carinho, presente é presente. Se tentar compensar um com o outro, o aprendizado fica prejudicado, e a mensagem desvirtuada, fazendo com que a criança assimile certa propensão ou compulsão por bens materiais.

- COMPARAR-SE COM FAMÍLIAS DE OUTRA REALIDADE FINANCEIRA

Não permita que seu filho cresça achando que pode fazer tudo, inclusive aquilo com que seus amigos mais abastados conseguem arcar. Seja transparente, explique. Nem tudo o que a família do amigo proporciona será possível para a sua oferecer. Seja realista e oriente seu filho a caminhar também nesta direção. Isso é importante para evitar comportamentos irracionais no futuro, que possam gerar gastos descabidos ao orçamento pessoal.

- FICAR COM VERGONHA DE CONVERSAR

Como sempre aquela boa conversa com os filhos, tão recomendada pelos psicólogos para a educação em geral, também é fundamental para que eles cresçam bem orientados do ponto de vista financeiro. Por isso, supere qualquer constrangimento e converse abertamente com seu filho sobre dinheiro. Pergunte a opinião, dê exemplos, explique seu ponto de vista. Fale sobre conceitos importantes como o da escolha e renúncia. Quanto mais você orientá-lo, mais ele irá entender do assunto e, consequentemente, mais seguro e preparado estará para lidar com as próprias finanças no futuro.

35%
dos estudantes do ensino médio não pesquisam o mesmo produto em outras lojas antes de comprar.[35]

CHECKLIST

LEMBRE-SE DOS PONTOS CRUCIAIS DESTE CAPÍTULO!

Procure se programar financeiramente antes de ter filhos.

Converse com quem já é pai ou mãe. Você desmistificará alguns gastos injustificados e poderá aprender com as experiências dos outros.

Se tiver que priorizar algo, que seja a educação.

Converse e oriente seu filho, não finja que dinheiro só é assunto de gente grande. E explique suas escolhas.

Disponibilize uma semanada, uma quinzenada e uma mesada, conforme ele ou ela vai crescendo, assim a criança ganha familiaridade e desenvolve habilidade para administrar os próprios recursos financeiros.

Ensine seu filho a ter foco e incentive o hábito de poupar.

Ensine o conceito de escolha-renúncia.

11
O **DINHEIRO** NA TERCEIRA **IDADE**

*Não se pode criar experiência.
É preciso passar por ela.* – Albert Camus

A população idosa no mundo e especialmente no Brasil vem crescendo devido aos avanços da ciência e à melhor eficácia dos tratamentos de saúde. Segundo projeções do Instituto Brasileiro de Geografia e Estatística (IBGE), em 2030, 13,3% da população no país serão de idosos.

Sem dúvida, é fundamental que a sociedade brasileira pare para refletir sobre isso. O planejamento é fundamental, tanto dos governos para oferecer uma infraestrutura adequada à terceira idade, quanto dos indivíduos para chegar a essa etapa da vida não apenas com saúde física ou psicológica, mas também financeira.

Se por um lado os aposentados têm uma renda fixa – que sempre salva os filhos e netos nos momentos de aperto financeiro, como o desemprego –, por outro os valores das aposentadorias são baixos em relação à renda do período em que o trabalhador estava na ativa. Mas, apesar disso, existem algumas medidas que podem ajudar os idosos de hoje e os de amanhã a lidarem melhor com o próprio dinheiro.

AS 8 REGRAS DE OURO PARA SER UM IDOSO FINANCEIRAMENTE SAUDÁVEL

1) Mantenha sempre um "pé de meia".

2) Filtre os pedidos dos filhos e netos.

3) Procure um plano de saúde adequado.

4) Busque farmácias e taxistas que cobrem preços justos.

5) Não deixe de investir em bem-estar e esporte.

6) Fique esperto com os empréstimos consignados.

7) Vá além da poupança.

8) Peça descontos e ajuda profissional.

Muita gente chega à terceira idade achando que já cumpriu sua missão na Terra e que não é preciso mais fazer sacrifícios para investimentos futuros. Não é bem assim. Tenha sempre um "pé de meia", não importa a sua idade. Hoje em dia a expectativa de vida aumentou muito. As pessoas estão vivendo mais, inclusive no Brasil. Para isso é preciso se preparar bem, não sair por aí "torrando" todo o dinheiro e depois avançar pelo tempo surpreendido por uma vida mais longínqua.

Ter um dinheirinho extra guardado é importante tanto para suprir necessidades imediatas caso haja imprevistos com o pagamento da aposentadoria, por exemplo, quanto para socorrer os filhos e netos num momento de aperto financeiro.

O interessante é que a geração mais velha, que hoje está na terceira idade, costuma ter um perfil menos consumista e mais realista que as gerações mais jovens. E, muitas vezes, serão nossos avôs e avós que irão dar aquela ajuda nos momentos mais difíceis. Se você é da terceira idade, não perca o hábito de reservar dinheiro. Isso é bom para garantir certa tranquilidade no dia a dia – para seus familiares próximos e, principalmente, para você mesmo.

Sendo assim, também é muito importante não perder o bom senso em nome do amor familiar. Filtre os pedidos dos filhos e netos!

Por mais que filhos, netos e sobrinhos peçam ajuda financeira, é importante não socorrer em todas as ocasiões para não entrar num ciclo vicioso e arcar com os prejuízos no final. Lembre-se de que, ao fazer uma reserva financeira, você está abrindo mão, certamente, de coisas para você mesmo. O dinheiro não cai do céu, nem dá em árvore. Dinheiro é algo suado e batalhado.

Analise sempre os motivos que os levaram a pedir ajuda para você e o que estas pessoas estão fazendo para não mais precisar desse auxílio. Existem filhos, netos e sobrinhos que pedem socorro financeiro para ir a um show internacional, por exemplo. Isso não é o fim do mundo se esta pessoa se mostra responsável e não esbanja na rotina. Mas às vezes é preciso dizer "não" ou limitar sua ajuda para não criar uma cadeia de empréstimos.

Outra coisa. Anote tudo o que está emprestando e não conte com que o dinheiro seja devolvido. É muito comum gente que pega dinheiro emprestado com os mais velhos e depois dá um calote sem o mínimo constrangimento e sem qualquer justificativa plausível. Pense muito bem antes de emprestar a torto e a direito. E, quando emprestar, tenha em mente que poderá não mais ver a cor do dinheiro.

Para não entrar nesse circuito indesejável, outra medida interessante é tentar ser discreto. Não divulgue aos quatro ventos que você possui dinheiro guardado ou bens acumulados. Quem conta abertamente que tem dinheiro, inevitavelmente, será abordado por gente ou até instituições que precisam de ajuda financeira.

Um dos imprevistos que podem gerar dor de cabeça e até desespero à turma da terceira idade é a questão da saúde. Se for possível, sempre priorize a sua e procure um plano de saúde adequado. Estude bem seu plano e leia com atenção todos os seus direitos.

Tem sido muito problemática a questão da cobertura dos planos. Usuários compram gato por lebre e, na hora em que precisam da cobertura, se veem sozinhos, sem dinheiro (inclusive porque pagaram por anos as mensalidades do plano) e sem tratamentos dos quais carecem.

Alguns pagam, pagam, pagam e correm o risco de acabar tendo de recorrer ao SUS (Sistema Único de Saúde) quando ficam gravemente doentes e precisam de atendimento especializado. Por isso, fique atento. Se tiver dúvidas sobre as cláusulas, peça ajuda para pessoas mais jovens para avaliar o contrato.

Essa atenção, na verdade, é muito importante para todos os usuários de planos de saúde, porém ganha contorno ainda mais fortes com idosos. Não é novidade que, conforme vamos envelhecendo, muitas doenças ou complicações podem surgir. É preciso tratamento adequado e rápido para que a etapa seja superada e a saúde se reestabeleça.

Ainda na mesma linha, busque farmácias e taxistas que cobrem preços justos. Isso mesmo! Os gastos imprevistos com farmácias e táxis podem se tornar mais comuns após os 60 anos. Aproveitando-se desta dependência, muitos estabelecimentos e profissionais podem malandramente tirar proveito da situação, trabalhando com preços exorbitantes.

Então, quem encontra uma boa farmácia com preços bons ou um taxista competente, paciente e com preços justos, deve guardar esse contato com carinho! Há tanta gente querendo explorar na hora de cobrar pelo serviço, que precisamos construir uma relação de confiança com aqueles que são realmente eficientes e corretos. Guarde o nome e os telefones do taxista. Grave o número e o endereço dessa farmácia. Em todas as situações e emergências, você saberá que tem com quem contar, sem que haja abuso nos preços. E, sempre nos primeiros contatos, busque descontos. Isso poderá abrir caminho para cobranças abaixo da tabela com o passar do tempo.

Por outro lado, sejamos sinceros! Economia mesmo você terá se puder prevenir doenças. E isso você só consegue se cuidando ao máximo. Não é gasto sem sentido. Não deixe de investir em bem-estar e esporte!

Hoje em dia todo mundo já sabe que o corpo e a mente precisam de atividade física para manter a saúde. Por isso, o que você pode fazer, caro leitor, é escolher uma atividade ou outra, uma academia ou outra, mas jamais abandonar os exercícios físicos.

Exercício é investimento e prevenção. Sai muito mais barato "aplicar" nisso do que ficar arcando posteriormente com tratamentos.

Caso você tenha uma emergência financeira e precise de crédito, atenção. Fique esperto com os empréstimos consignados! Como eles caem diretamente no rendimento do aposentado (e portanto o risco para o credor é baixíssimo), as financeiras sempre estão de olho neste público.

O problema é que, se as parcelas são muito altas em relação ao valor da aposentadoria, é possível que você passe aperto. Muito cuidado, portanto! A mordida no rendimento mensal acontecerá faça chuva ou faça sol, lembre-se disso.

Se não tiver saída e precisar mesmo de dinheiro, o mais indicado é aproveitar as taxas baixas do empréstimo consignado, porém com a condição de que as parcelas de pagamento não ultrapassem os 30% da sua renda líquida.

Por fim, se você tem aquele dinheiro guardado na poupança, ouse mais para tentar tirar proveito dos juros e correção monetária de outras formas de investimentos.

Vá além da poupança! Procure uma orientação e escolha alguns fundos ou títulos para aplicar. Varie seu leque de investimentos. A poupança é uma das aplicações mais tradicionais, porém o rendimento é extremamente modesto, e existem diversas opções com a mesma segurança e rentabilidade maior. Tente encontrar algo que lhe traga bom retorno, ainda que mantenha parte do dinheiro na poupança para poder se sentir seguro nas transações.

Por fim, peça descontos e ajuda profissional. O seu plano de saúde vai aumentar? As regras do plano vão mudar? Tente negociar sempre. Nunca deixe de dar uma choradinha. Quando você pede, tem a chance de conseguir descontos, benefícios e facilidades. Por outro lado, quando aceita de imediato as condições propostas, perde todas as chances de que isso aconteça. Em outras palavras, o "não" você já tem! Arrisque, tente. Nenhuma empresa dará vantagens ou descontos a você por livre e espontânea vontade.

Se você não entende as mudanças e aumentos, não tenha dúvidas: procure alguma instituição de defesa do consumidor e peça auxílio. O Procon e o Idec (Instituto Brasileiro de Defesa do Consumidor), por exemplo, são órgãos dedicados a ajudar o consumidor.

Outra forma de obter descontos interessantes é se cadastrando em programas de grandes laboratórios e fabricantes de medicamentos. O Programa Farmácia Popular também costuma ser uma boa saída para quem consome bastante medicação. Há farmácias próprias e conveniadas ao programa espalhadas por todo o Brasil.

11.1 Pé de meia

A boa notícia em termos econômicos para a terceira idade é que, muitas vezes, os índices inflacionários são mais baixos para esta faixa etária do que para as outras. Existem até mesmo levantamentos mais específicos sobre a inflação para a terceira idade como o IPC3-i (Índice de Preços ao Consumidor da Terceira Idade), que mede especificamente a variação da cesta de consumo das famílias com maioria de idosos (acima de 60 anos).

Nos primeiros três meses de 2014, por exemplo, a inflação registrada para este público foi de 2,3%, sendo que o acumulado em 12 meses era de 5,96%. Não é pouco, mas ambas as marcas ficaram abaixo do IPCA, que representa a inflação oficial.

Qualquer momento de calmaria, portanto, é interessante para que o consumidor idoso aproveite para investir o dinheirinho que sobra. Apesar da caderneta de poupança ser o caminho mais conhecido por esta geração, é importante reavaliá-la com racionalidade. A rentabilidade não ultrapassa a marca de 6,17% ao ano. Se você é um autêntico fã da caderneta, está na hora de rever seus conceitos! Você está perdendo dinheiro e todo o seu sacrifício e disciplina para poupar pode estar sendo mal aproveitado, caso você não perceba isso rapidamente e escolha alternativas mais vantajosas.

O fato é que você precisa fazer com que o seu sagrado dinheiro renda o máximo possível. Isso não significa correr riscos excessivos, nem ser ganancioso demais. Mas valorizar o seu dinheiro, seu esforço para obtê-lo e planejar adequadamente seus investimentos.

A caderneta deve ser evitada principalmente por quem conseguiu juntar um bom "pé de meia". Para aquele investidor que acumulou um montante em torno de R$ 100 mil ou mais para um investimento inicial, o mais indicado é aproveitar CDBs, Fundos de renda fixa, Fundos DI, fundos de multimercado com capital protegido, e, principalmente, títulos do Tesouro Direto.

Sobre bolsa de valores, por outro lado, tome cuidado. Análises de mercado apontam que, para quem tem mais de 65 anos, o ideal é não ter mais do que 10% do dinheiro aplicado em ações. Isso por uma questão de segurança. Ações tendem a ser investimentos interessantes no longo prazo. Mas, antes de subirem, você pode ter que amargar longos períodos de alta volatilidade e vacas bem magrinhas.

CHECKLIST

LEMBRE-SE DOS PONTOS CRUCIAIS DESTE CAPÍTULO!

Faça uma reserva em dinheiro para emergências.

Proteja seu dinheiro e não saia emprestando sem critérios todas as vezes que receber pedidos de filhos, netos e sobrinhos.

Tente manter um bom plano de saúde.

Crie laços de confiança com uma boa farmácia e um bom taxista que cobrem preços justos.

Invista em prevenção à saúde, fazendo exercícios físicos.

Sempre junte um "pé de meia", ele será importante para você e sua família.

Procure alternativas mais rentáveis que a poupança para aplicar seu dinheiro e fazê-lo render.

12
O **IMPULSO** PELAS **COMPRAS**

Tenha cuidado com os custos pequenos. Uma pequena fenda afunda grandes barcos. – Benjamin Franklin

Você trabalha o mês inteiro. Acorda cedo, chega tarde! Só consegue aproveitar a família aos finais de semana e olhe lá! Rala para valer! Quando passa em frente a uma vitrine de sapatos, gravatas, bolsas, eletrônicos ou perfumes que chamam sua atenção... você pensa: "uhmmm.. eu não estava planejando comprar isso. O orçamento está apertado esse mês. Mas.... eu mereço!!"

É verdade. Você não é a única pessoa a ter esse sentimento. Ele é frequente, compreensível, justo e o melhor de tudo: você merece mesmo!

Depois de toda aquela lista de esforço mensal que você tem com trabalho para ganhar dinheiro, nada mais justo do que se presentear de vez em quando. É um incentivo importante. Um agrado salutar. É frustrante ver tudo o que você ganhou indo pelo ralo com as contas de celular, internet, luz, aluguel, gasolina, financiamento, supermercado...

Você pode e deve se deixar levar de vez em quando. Pode e deve permitir uma extravagância pessoal, uma compra inesperada. Um certo espaço para o impulso do consumo é fundamental para dar equilíbrio aos seus anseios. O que não pode é ser dominado por ele. Acredite ou não, existe espaço para o impulso quando a gente fala em finanças pessoais e controle do orçamento.

O segredo está em deixar um valor da sua renda destinado justamente às compras de impulso! Determine uma quantia mensal para os presentes e agrados de você para você! E se atenha a ela. O problema é quando o impulso destrói o orçamento. Com essa estratégia simples, o risco deixa de existir, e a previsão de gasto (assim como a conta da academia, a escola das crianças ou o custo do condomínio) já vai estar incorporada no seu cálculo mensal.

#FICAADICA!

O e-commerce tem crescido com força no Brasil. E um detalhe curioso: alguns levantamentos apontam que, durante vários meses, os preços de produtos vendidos na internet caiu! Ou seja, sofreu deflação. Fala a verdade.. quando foi a última vez que você viu os preços no seu supermercado recuarem?

Isso acontece basicamente por duas razões. A primeira é a operação mais barata para o empresário. Ele economiza uma montanha de dinheiro por não ter, necessariamente, que apresentar seus produtos em um ponto comercial, numa loja de shopping, com funcionários uniformizados, equipe de segurança, estacionamento para clientes. Com um site atrativo e seguro, um pequeno estoque e quem sabe um único funcionário, ele dará conta do recado. Ou seja, o custo do empreendimento é menor, e isso acaba refletido no preço.

O outro fator fundamental é a competição. A internet permite que o consumidor faça comparações de preço na velocidade de alguns cliques, sem sair da cadeira. É tudo muito mais fácil do que se você tivesse que atravessar a cidade, pegar trânsito, gastar tempo, gasolina e paciência para chegar até a loja do concorrente - e eventualmente fazer todo o caminho de volta ao descobrir que a melhor opção era a do primeiro lojista. Na internet toda essa peregrinação é muito mais simples, indolor, e existem ainda sites especializados que fazem a comparação de valores por você.

Resultado: é possível economizar um bom dinheiro comprando exatamente as coisas que você compraria na rua, na loja, no shopping, mas fazendo isso pelo computador. Pesquise. E, se necessário, controle a ansiedade e aguarde os dois, três, quatro ou cinco dias de entrega. Geralmente vale a pena.

12.1 Inteligência financeira

Você sabe o que é a psicoadaptação? Entender este fenômeno simples é uma ferramenta útil na busca pela compreensão sobre o consumo exacerbado e o desequilíbrio financeiro que deixa tantos consumidores à beira da loucura por conta das dívidas.

> **HEIN??**
>
> Psicoadaptação: É a capacidade do ser humano de se adaptar às situações. Pode ser suportar uma dor, ultrapassar um obstáculo, gerir conflitos, se acostumar a mudanças.

Na medida em que as pessoas são expostas a coisas desagradáveis com frequência, a sensação de incômodo inicialmente produzida vai se amenizando e elas vão se acostumando com aquilo, como algo natural. Podemos citar, neste caso, notícias de guerras, miséria e corrupção, que vão se acumulando no inconsciente até que já não haja mais reação e as situações sejam aceitas – ou tenham um impacto menor que o choque inicial. Por outro lado, a psicoadaptação também acontece em relação a outros tipos de novidades.

O consumo também se enquadra em situações de psicoadaptação. A roupa nova que você compra inicialmente tem um impacto positivo na sua vida. Uma semana depois, no entanto, ela possivelmente já não esteja causando nenhuma euforia. Passado um mês, sua importância terá se perdido ainda mais até o momento em que ela já não tenha mais relevância alguma para você, e possa até ser esquecida numa gaveta qualquer ou doada para um bazar beneficente.

O mesmo fenômeno é notado com um bem maior e mais caro como um carro zero quilômetro, por exemplo. Quando sai da concessionária, com aquele "cheirinho de novo", o automóvel é um sonho materializado para muita gente. Quem compra um carro zerinho tende a supervalorizar a conquista, vibrando com isso por dias, talvez meses. Muita gente mantém os plásticos nos bancos para melhor conservá-los e para poder reviver a ideia da conquista.

No entanto, com os primeiros risquinhos na pintura, com um ligeiro amassado na lataria, o carinho inicial vai esmorecendo. E, mesmo com o carro, uma hora o gostinho da conquista perde força e aquela alegria "sem fim" vista na concessionária dá lugar à indiferença.

Por um lado, a cíclica insatisfação que a psicoadaptação nos traz é importante para motivar a humanidade a dar grandes saltos evolutivos em todos os sentidos. Afinal, foi a insatisfação (e mais que ela, o inconformismo) que fez com que o homem desenvolvesse desde a roda até a eletricidade, chegando ao telefone e ao automóvel, dentre centenas de milhares de invenções até os dias de hoje de cientistas atentos às necessidades e dificuldades dos seres humanos. Mas tem o outro lado.

O problema

A psicoadaptação torna-se um problema para seu bolso quando acontece em um intervalo de tempo curto demais, a ponto de tornar a insatisfação algo doentio e danoso para sua vida financeira.

Muita gente, por exemplo, compra roupas por impulso, não resistindo a qualquer apelo publicitário ou de marketing. Porém, alguns desses indivíduos possuem uma capacidade de psicoadaptação tão rápida, que, quando chegam a casa, não sentem mais prazer em usar aquela blusa, calça ou sapato pelo qual acabaram de pagar – e já querem dar uma nova volta no shopping para carregar mais sacolas de produtos similares.

Essa situação, de compras compulsivas, é considerada extrema e tem se tornado cada vez mais comum. O fato é que se for muito exacerbada ela pode até ser considerada uma patologia. Mas aqui estamos falando de dinheiro. E por isso vamos mirar o tiro na educação financeira – que também pode ajudar e muito a controlar esses impulsos.

Quem toma consciência de que tem problemas com a psicoadaptação rápida demais e uma insatisfação constante só irá conseguir colocar a vida financeira em ordem depois de passar por uma mudança psicossocial robusta, reconstruindo a sua relação com o dinheiro.

O ato de comprar, aos olhos da psicologia, deve ser sempre um rito de prazer duradouro, onde as etapas sejam "saboreadas" antes, durante e depois da compra. É preciso que o lado emocional esteja amadurecido e forte para que isso aconteça.

A educação financeira entra no sentido de auxiliar este consumidor a tomar as suas decisões com mais sabedoria. Sempre dando plena prioridade às necessidades básicas, e depois aos supérfluos ou tudo aquilo que também gera prazer, embora não seja essencial.

A questão é que numa compra, seja do que for e como for, é necessário que o prazer seja duradouro e que não se acabe rapidamente, empurrando você para um sentimento constante de insatisfação e uma necessidade de comprar mais e mais e mais, sem considerar de forma precisa suas reais necessidades.

53%
dos brasileiros declaram ter feito compras por impulso.[36]

12.2 *Carpe diem* **financeiro**

Assim como acontece com os trabalhos de faculdade, as dietas alimentares para emagrecer, e tantas outras coisas, nós, seres humanos, temos uma tendência de adiar nossas responsabilidades e focar muito mais no presente, ignorando nossas metas e obrigações com o futuro.

Nas escolas e universidades, os alunos costumam deixar para entregar seus trabalhos na última hora. Já quem planeja um regime para emagrecer sempre empurra o início para a segunda-feira, sendo que não há motivos sólidos para não adotar as novas regras de alimentação imediatamente.

Estes são alguns dos exemplos clássicos da chamada procrastinação.

HEIN??

Procrastinação: É quando você adia suas responsabilidades. Um comportamento muito corriqueiro entre os seres humanos, porém que pode trazer danos para sua vida e, é claro, para seu bolso. O procrastinador é aquele indivíduo que está sempre fugindo das tarefas que tem para fazer, e prefere a filosofia do "por que fazer hoje, se posso deixar para amanhã?".

Em economês, poderíamos dizer que as pessoas têm uma tendência a aplicar um "desconto intertemporal hiperbólico". Hein?? É isso mesmo. Traduzindo, isso significa que o ser humano, dentro de sua imensa complexidade, costuma ter uma visão em certa medida míope, e dá muito mais valor ao presente ou ao futuro próximo do que ao distante. Assim, quando é preciso tomar uma decisão, há um verdadeiro duelo no nosso cérebro entre o presente e o futuro. Esse embate é desonesto porque o "eu-presente" é muito mais nítido e forte em nosso inconsciente do que o "eu-futuro".

Com isso, o "eu-presente" ganha grande parte das disputas, se não todas. As decisões financeiras, que serão o alicerce para os projetos do futuro distante, acabam pendendo sempre para o viver imediato, especialmente para os programas de lazer. Na história do regime, é a disputa entre comer só mais um chocolatinho agora ("eu-presente") ou deixar as mudanças alimentares para segunda-feira ("eu-futuro").

Já o estudante procrastinador vai preferir dormir, assistir aos jogos de futebol, sair com os amigos e, certamente, irá deixar para fazer seu trabalho do dia seguinte de madrugada.

E o que isso tem a ver com economia? Tudo! A construção de uma vida financeira próspera depende em grande medida da capacidade de poupar e investir hoje para colher no futuro. Há pesquisas mostrando que as populações com nível de educação mais baixo tendem a fazer o uso mais equivocado do cartão de crédito, entrando em dívidas e causando até crises nos mercados, um reflexo claro do despreparo para pensar no futuro e do foco excessivamente voltado para o momento atual.

O instinto humano tende a satisfazer seus impulsos presentes, gastando tudo, mesmo que isso implique em dívidas irresponsáveis, sem a mínima preocupação com o bem-estar futuro. Não vire estatística e não se deixe dominar por esse instinto.

12.3 Existe remédio?

Mas será que existe "remédio" para o procrastinador? Sim, existe e se chama autodisciplina! É a única forma de tentar corrigir este hábito, que pode tornar a sua vida muito mais difícil e trazer complicações para o seu bolso.

Não há dúvidas de que o estudante que se adianta e consegue terminar um trabalho com uma semana de antecedência, por exemplo, irá encerrar o ano com muito mais facilidade que os demais. E, assim, poderá aproveitar muito melhor suas sonecas, jogos de futebol e voltinhas noturnas, já que não terá a mínima culpa ao vivenciar seus momentos de lazer.

Tudo é questão de hábito! Um estudante assim também terá muito mais possibilidade de dizer "não" às tentações do açúcar e estará propenso a ter uma alimentação mais saudável e balanceada, sem sofrer com excesso de peso, já que consegue se controlar melhor. Possivelmente, ele também poderá monitorar com maior eficiência suas finanças no presente e até poupar para ter uma vida de melhor qualidade amanhã. E a lógica se aplica a todos os setores da vida.

A autodisciplina é uma virtude que faz falta em todos os aspectos porque nos garante decisões mais sábias, que se refletem no presente e no futuro. Viver o hoje sem se preocupar ou se dedicar minimamente às obrigações do amanhã acaba se tornando um fardo pesado, ao contrário do que muitos pensam.

É com a autodisciplina que aprenderemos a renunciar aos prazeres imediatos. Esta habilidade, no entanto, não é transmitida automaticamente e nem se estuda na escola. Ela é individual e poderá ser adquirida com bons exemplos dados às crianças e aos jovens.

Aquele prazer momentâneo de hoje pode se tornar muito mais intenso e grande no decorrer da vida, seja por meio de uma saúde melhor, seja por garantir menos estresse ou, ainda, por promover uma vida equilibrada, com bem-estar psicológico e abundância financeira no futuro.

HEIN??

CARPE DIEM: Expressão do latim que significa "aproveite o momento". A expressão foi dita pelo poeta latino Horácio (65 a.C. - 8 a.C.) em seu livro 1 de "Odes", em que ele aconselha sua amiga Leucone com a frase *"carpe diem, quam minimum crédula postero"*, o que seria o equivalente a "colha o dia de hoje e confie o mínimo possível no amanhã". Seguidor do epicurismo (sistema filosófico que pregava a procura dos prazeres para atingir um estado de tranquilidade e libertação), Horácio defendia que a vida é breve e a beleza é perecível, sendo a morte a única certeza, o que justifica aproveitar bem o presente antes que seja tarde.

Horácio, quando defendia o *Carpe Diem*, estava na Roma Antiga, onde a expectativa média de vida girava em torno dos 30 anos! Uma análise dos dados da Organização Mundial de Saúde (OMS)[37] mostrou que a expectativa de vida dos homens que nascem nos dias de hoje é de 68 anos e a das mulheres, 73. Houve um aumento de seis anos em relação aos que nasceram nos anos 90, por exemplo.

Isso tudo pode ter duas interpretações complementares. A primeira é a de que tem se tornado inviável viver pensando apenas no "eu-hoje", quando sabemos que a tecnologia, os avanços no conhecimento científico, as medicações e até as melhorias nas condições sanitárias têm nos permitido viver quase uma média de 38 (homens) e 43 (mulheres) anos a mais do que na época da Roma Antiga. Não é mais possível viver como se não houvesse amanhã. Isso vale para tudo: alimentação, cuidados com a saúde, estudos.

Dinheiro.

Por outro lado, também não se deve ignorar os ensinamentos de Horácio, que nos dias de hoje trazem uma crítica saudável sobre o estilo de vida moderno rodeado de ansiedade e estresse. O *Carpe Diem* moderado e combinado à autodisciplina é um caminho equilibrado que, certamente, só produzirá efeitos positivos sobre a sua vida, seja ela financeira ou não.

12.4 Só para elas

"Todas as vitórias ocultam uma abdicação" – Simone de Beauvoir

Apesar do senso popular e de algumas pesquisas de comportamento, seria muito injusto dizer categoricamente que as mulheres sempre são mais consumistas do que os homens. Existem, sim, muitas mulheres que conseguem manter a linha nas finanças. E existem também muitos homens que não param de comprar coisas desnecessárias. Este item do livro é dedicado às mulheres, por uma simples razão bem distante dos estereótipos: porque existem muito mais serviços e produtos voltados ao consumo feminino. Haja personalidade e inteligência financeira para resistir a isso!

No quesito beleza, por exemplo, os salões faturam alto por todo o país e a cada dia "surgem" novas necessidades, que podem ser muito boas e eficazes para a estética, mas que exigem parcimônia por parte da consumidora, que tentar fazer um uso mais racional do dinheiro. Sobre roupas e sapatos, as mulheres também passam por desafios diários. O marketing e a propaganda criam no inconsciente coletivo a necessidade de comprar algo novo sempre para manter a autoestima em dia. Quem resiste? É preciso ter muito equilíbrio para enxergar com razão essas nuances do mercado e fazer escolhas acertadas.

DE OLHO NO EXEMPLO!

Depois de quase um ano desempregada, Lúcia finalmente consegue retornar ao mercado de trabalho. Ela reclama com a mãe que tem pouco dinheiro, mas que precisa investir em roupas e em um "trato no visual" para causar uma boa impressão inicial no novo trabalho.

A mãe abre o guarda-roupas e incentiva Lúcia a procurar peças novas que estão para passar e combinações de peças que possam trazer elegância ao visual. Um terninho preto escondido no fundo da gaveta e algumas saias ajudam Lúcia a resolver o problema, sem ter tido que pôr a mão no bolso. Custo zero para se vestir bem!

Na sequência, a mãe incentiva Lúcia a procurar uma cabeleireira no próprio bairro para cortar os cabelos, assim conseguirá um bom desconto em relação aos salões renomados e mais bem localizados. Para terminar o "trato", Lúcia decide ir até uma loja especializada em produtos de beleza e compra um kit para fazer unhas (R$ 30), máscara para hidratação (R$ 70) e cera depilatória (R$ 30). Ela faz uma espécie de spa em casa e cuida pessoalmente de fazer as unhas dos pés e das mãos, a hidratação do cabelo e a depilação.

Se fizesse tudo isso no salão aonde está acostumada a ir, Lúcia teria que desembolsar R$ 240 (R$ 110 com depilação, R$ 80 com hidratação no cabelo e R$ 50 para fazer pé e mão). Fazendo ela mesma estes procedimentos em casa, a economia foi de 46% e ainda sobrou matéria-prima para novas sessões de autocuidados!

Veja algumas soluções pensadas para as pegadinhas voltadas especialmente às mulheres:

OS 10 PASSOS DA MULHER CAUTELOSA COM DINHEIRO

1) Evite se expor excessivamente a lugares criados para o consumo.
2) Pesquise.
3) Dê uma voltinha antes de comprar.
4) Faça um spa em casa.
5) Mescle peças de grife com outras comuns.
6) Cuidado com o barato que sai caro.
7) Tenha personalidade.
8) Tenha um ensaio com combinações de peças diferenciadas.
9) Aposte nas cores neutras.
10) Use e cuide bem de tudo o que comprar.

Já diz o ditado: o que os olhos não veem o coração não sente. Por isso, cara leitora, evite se expor excessivamente a lugares criados para o consumo como shoppings, apetitosas lojas na internet recheadas de tentações, feirinhas disso e daquilo. O intuito de tudo isso é vender! E portanto podem ser verdadeiras armadilhas de consumo.

Por menos que você goste de bolsas, ao entrar naquela página com tantas opções e cores lindas, vai acabar fraquejando. No shopping, é a mesma coisa. Você não está precisando de calça jeans, mas é possível que bata os olhos em uma e se apaixone incondicionalmente a ponto de comprá-la sem pensar duas vezes.

Temos que reconhecer... assim fica difícil ser econômico! Não é proibido visitar estes lugares, é claro. A gente também adora dar uma volta no shopping, comprar uma peça nova de roupa, fazer uma pequena extravagância aqui ou acolá. Mas, para colocar as contas de volta nos trilhos, pode ser interessante que você fuja deles temporariamente, especialmente em algumas situações peculiares: se você está endividada ou se já gastou ou comprometeu a fatia do seu dinheiro guardada para "impulsos" ou supérfluos.

Você sabe que, mesmo estando endividada até o pescoço, não vai resistir a uma promoção para comprar um sapato novo, uma bolsa de modelo inédito ou comer naquele restaurante japonês que abriu na cidade. É uma ingenuidade acreditar que você irá apenas "ver sem compromisso" e que não irá ficar com vontade de sacar o cartão de crédito. Não minta para si mesma.

Por outro lado, se você está decidida a comprar algo, pesquise! Observar a qualidade e o valor do mesmo produto em pelo menos três lojas diferentes é o ideal antes de efetivar uma compra.

A mesma peça ou peças parecidas podem estar à venda em diversos lugares com preços incrivelmente díspares. Por isso, nunca ponha no carrinho e passe os dados do cartão na primeira loja, por mais que pareça que a peça será vendida imediatamente. Seja firme e resista à pressão dos vendedores.

Outra dica importante: dê uma voltinha antes de comprar. Isso porque as compras por impulso costumam ser danosas e a sensação de arrependimento é inevitável. Antes de fechar negócio, que tal ir tomar um sorvete ou comer um chocolate? Quem sabe entrar na livraria e folhear as novidades na prateleira de lançamentos? (Mas sair carregada com 7 livros não vale!)

Não compre de imediato. Se for para consumir, que seja com consciência e segurança. Por isso, dar um tempo e pensar melhor, com calma, é uma dica útil. Mesmo que seja um simples sapato ou um par de brincos. A voltinha pode fazer com que você supere seu momento de impulsividade e tome uma decisão mais racional. E quando estiver decidida e determinada a fazer a compra – consciente das implicâncias financeiras associadas – vá em frente.

Outra fonte de gastos significativa para o orçamento doméstico é a visita semanal aos salões de beleza. De vez em quando, faça um spa em casa. Obviamente, se cuidar e se amar é algo muito importante psicológica e fisicamente, seja para as relações interpessoais ou seja para o trabalho. E outra. Você merece! No entanto, existem alternativas para se cuidar sem deixar uma fatia gorda dos seus rendimentos nos salões de beleza. O bom senso é a chave para manter-se bonita e arrumada de uma forma equilibrada e positiva para suas finanças.

Pode ser que você não tenha habilidade para fazer algumas coisas que o seu cabeleireiro e a sua manicure fazem. Porém há, certamente, algo em que você mesma poderia se esmerar. Hoje existem na internet vídeos tutoriais ensinando a fazer tudo que o salão faz, desde maquiagem até tirar a sobrancelha, passando por depilação e cortar a franja. As decisões são individuais, pois cada mulher sabe aquilo que é mais importante nas suas idas ao salão e aquilo de que jamais daria conta sozinha em casa.

Por exemplo, uma hidratação nos cabelos custaria R$ 120 num salão. Mas com 50% deste valor você poderia comprar um bom creme, vitaminas e até uma touca térmica para realizar o procedimento no lar, doce lar. O mesmo acontece com a depilação, as unhas, limpeza de pele etc. Um spa caseiro pode trazer resultados muito bons para os cuidados de beleza e por preços muito mais em conta.

Já no caso de gastos com roupas e sapatos, também é possível economizar com algumas saídas alternativas. Mescle peças de grife com outras comuns. Muitas mulheres acabam gastando muito por comprar somente roupas e sapatos de marca cara. Como sabemos, não necessariamente a beleza da peça é muito superior simplesmente pelo fato de ela ser de determinada grife.

É possível, sim, encontrar roupas e sapatos lindos e elegantes com qualidade boa por preços mais razoáveis. Não é segredo para ninguém que muita gente garimpa em lojas mais populares peças boas e bonitas.

Quando você comprar uma lingerie de uma grife conhecida, certamente, estará pagando também pela marca. Isso tem sempre um peso significativo sobre o valor final da peça vendida no varejo. E é natural que seja assim: a marca demorou para construir sua história, seu modelo de negócios, sua imagem e se consolidar na cabeça das consumidoras.

Mas atenção: não estamos falando que você não deve comprar roupas de marcas consagradas! A ideia é, por uma questão de bom senso econômico, manter o equilíbrio e adquirir não *apenas* peças de grife. Para poupar seu bolso, pesquise e compre também peças de marcas menos conhecidas. Assim, o seu orçamento ficará menos comprometido e, ao mesmo tempo, seu guarda-roupa manterá um padrão com a qualidade, variedade e beleza que você espera.

Por outro lado, cuidado com o barato que sai caro! Lojas que comercializam produtos muito baratos também tendem a oferecer qualidade inferior. Por isso é preciso atenção na hora da compra com o material, a costura e a textura das peças. Não adianta nada comprar uma jaqueta 80% mais barata se ela desbotar, se encolher ou se o seu zíper estragar após três vezes de uso!

Não é fácil prever a durabilidade das peças, mas com experiência, muita observação e pesquisa, logo você será capaz de distinguir quando vale a pena comprar um produto mais barato, sem ter prejuízo significativo na qualidade.

Para economizar, também tenha personalidade! Filtre a influência dos seus amigos. Não é porque sua amiga vai comprar uma bolsa linda naquela loja cara, que você precisa comprar também. Tenha consciência sobre a sua situação financeira e inverta-a. Seu comportamento firme e decidido a não gastar ou a gastar de forma mais racional pode influenciar seus amigos a também agirem de forma mais consciente e evitar aquele rombo no orçamento.

Você não precisa ficar "pregando" suas opiniões sobre gastos excessivos, o seu comportamento já diz tudo. Será um ótimo exemplo tanto para seus amigos, quanto para seus filhos.

Outra forma bacana de se manter bem vestida sem ficar com o bolso vazio é testando várias combinações de peças para que você detecte no seu próprio guarda-roupas combinações diferentes e interessantes. Por isso, tenha um ensaio com combinações de peças diferenciadas e faça o registro com *selfies* no seu celular ou até mesmo anotando em um caderno ou e-mail. Reserve algumas horas para destrinchar o seu guarda-roupas e experimentar diversas combinações.

Assim, quando você for sair, se estiver em cima da hora e não souber o que usar, poderá recorrer ao seu próprio catálogo para identificar rapidamente uma combinação ideal para aquela ocasião. É assim que grande parte das *personal stylists* trabalha com suas clientes. Com essa estratégia, você poderá aproveitar de forma muito mais precisa aquilo que já possui e pensará duas vezes antes de achar que precisa comprar mais sapatos ou mais roupas. Diferentes combinações com as peças que você já tem geram *looks* completamente novos!

Você vai ficar impressionada quando descobrir que aquela saia "encostada" vai dar uma revigorada no visual com aquela camisa que você adora e usa muito. Ou nada impede você de descobrir que um sapato de salto herdado da sua mãe, que não combina com quase nada, dá um toque de elegância à calça jeans de tonalidade neutra que você usa para trabalhar. Um caminho para começar é dar uma olhadinha nos editoriais de moda para ter algumas ideias. Os editoriais ajudam a se inspirar na hora de fazer as combinações de peças.

Neste sentido também vale a pena investir em peças mais versáteis. Quando precisar comprar roupas ou sapatos novos, aposte nas peças com cores neutras. Peças em cores mais sóbrias tendem a combinar com muito mais opções do que as coloridas. E, para dar toques diferentes aos *looks* sem gastar muito, aí, sim, vale a pena investir em acessórios pontuais, coloridos e de personalidade.

Outro detalhe importante: quando chegar a casa com suas sacolas de compras, tenha em mente um bom aproveitamento de tudo o que adquiriu. Use e cuide bem de tudo o que comprar! Procure aproveitar bem cada peça que passa a fazer parte do seu armário. Aposte em uma limpeza cuidadosa, usando produtos adequados e lendo as etiquetas e recomendações dos fabricantes. Faça com que suas roupas durem. E pense no quanto os gastos morderam do seu orçamento. Uma despesa mensal de R$ 300 com roupas, sapatos e acessórios representa ao final do ano R$ 3.600 e em cinco anos um montante de R$ 18 mil.

Então, faça valer a pena! Aproveite ao máximo tudo o que comprar e seja cuidadosa para que as peças durem bastante e compensem efetivamente os seus gastos, poupando-a, inclusive, de entrar no jogo do consumismo inconsciente, onde a regra é comprar mais e mais e mais... só por comprar.

54%
dos inadimplentes são mulheres.[38]

CHECKLIST

LEMBRE-SE DOS PONTOS CRUCIAIS DESTE CAPÍTULO!

A psicoadaptação é um conceito importante para seu bolso.

Deixe um dinheiro reservado para se presentear "por impulso".

O dinheiro deve estar previsto no orçamento e seu limite não deve ser extrapolado jamais.

Evite a procrastinação.

Pesquise e aproveite as vantagens das compras online.

Não deixe seu salário no salão, tente se arriscar a fazer você mesma alguns procedimentos de beleza.

Antes de comprar, analise bem o próprio guarda-roupa. Utilize bastante suas peças, faça novas combinações e registre com **selfies** para ter opções diferenciadas (e se lembrar delas depois).

13

AGORA É COM VOCÊ!

O investimento em conhecimento é o que paga os melhores dividendos. – Benjamin Franklin

Estamos chegando ao fim deste livro. Abordamos ao longo dessas páginas um número vasto de recomendações. Falamos de como organizar um orçamento financeiro personalizado, entender a armadilha das dívidas, o veneno dos juros, os pecados financeiros e as estratégias para sair do buraco. Falamos dos tipos de crédito disponíveis ao consumidor e da inescapável realidade de que toda escolha implica em uma renúncia. Abordamos algumas das questões mais frequentes e polêmicas de finanças pessoais: comprar ou alugar um imóvel? Consórcio ou financiamento? Carro novo ou usado? Como conseguir o melhor plano de telefonia? Como planejar adequadamente uma viagem? Quando ensinar finanças aos filhos? Como fazer um uso adequado e inteligente do cartão de crédito? Como lidar com dinheiro em uma vida a dois?

Demos dicas e conselhos indicando os passos para acertar as finanças e fugir dos micos. Ensinamos as estratégias para favorecer o bolso e adotar uma vida financeira mais saudável.

Agora é com você! É hora de colocar em prática tudo o que aprendeu aqui. Você tem os ingredientes da receita, os equipamentos para caminhar na rota da prosperidade. O conhecimento de que precisa para melhorar a situação das suas finanças (e do seu bolso), e juntar dinheiro. De preferência, muito dinheiro.

O próximo passo é investir corretamente esse capital que vai conseguir acumular. E, assim, fazer seu patrimônio crescer para valer. Mas isso já é tema para o próximo livro: Seu Investimento!

Obrigado pela companhia, e mãos à obra!

Agora é com você.

Suce$$o!

Dony e Samy

Notas

1 Pesquisa Data Popular
2 Dados médios baseados em informações de bancos, institutos e corretoras, jul/2014
3 Valores em 2014
4 Índice FipeZap/ divulgação: julho/2014
5 Pesquisa do Serviço de Proteção ao Crédito e da Confederação Nacional de Dirigentes Lojistas/ divulgação: 2014
6 Pesquisa do Serviço de Proteção ao Crédito e da Confederação Nacional dos Dirigentes Lojistas/ divulgação: janeiro/2014
7 Idem
8 Dados da Anefac, BC e Bancos/2014
9 Pesquisa Serviço Central de Proteção ao Crédito/ divulgação: jun/2014
10 Anefac, 2014
11 Evolução ilustrativa considerando dívida no rotativo do cartão de crédito com taxa de 230% ao ano. Em algumas instituições, os juros nessa modalidade chegam a 600% ao ano.
12 Pesquisa Serasa Experian/ divulgação: março/2014
13 Pesquisa de Endividamento e Inadimplência do Consumidor/ divulgação: março/2014
14 Valor nominal, considerando juros de 0,8% ao mês.
15 Fonte: *Anefac* e *Bacen* maio/2014
16 Febraban, Divulgação: 2014
17 Idem
18 Estudo Portal Meu Bolso Feliz, SPC/ divulgação: maio/2014
19 Idem
20 Fonte: IBGE
21 A conta do combustível é feita assim:
(km por dia / consumo por litro) x custo combustível x dias do mês = custo mensal com combustível.
Usando os números do exemplo: (20/13) x 2,79 x 30 = R$ 128,77
22 A força da depreciação varia dependendo do tipo de carro, valor, mercado, e assim por diante. Neste exemplo, estamos considerando uma taxa anual constante de 15%.
23 Valores aproximados de 2014/2015
24 Ao longo do período de 10 anos todos os custos calculados mudam. A manutenção fica muito mais cara, a depreciação diminui em termos nominais, o seguro pode variar, o condutor possivelmente troca de carro. A conta foi feita adotando o valor constante de R$ 30 mil para o automóvel e

R$ 17.716,75 para as despesas anuais.
25   IPVA de 4%, Seguro 7%, Depreciação anual: 15%, Estacionamento: R$450/mês, Consumo constante: 13km/litro, Combustível R$ 2,79/litro.
26   Pesquisa Medindo a Sociedade da Informação, da União Internacional de Telecomunicações/ divulgação: outubro de 2013
27   Banco Central/2014
28   Dado divulgado em abril de 2014
29   Pesquisa Nacional de Cartões do Instituto Medida Certa/ divulgada em maio de 2014
30   Estimativa da Chubb Seguros do Brasil, especializada no atendimento das classes A e B/divulgada em maio de 2014
31   Fonte: IBGE
32   Pesquisa da Universidade de Michigan/ divulgação: julho de 2012
33   Pesquisa do Instituto Nacional de Vendas e Trade Markting Invent/ divulgação: fevereiro de 2013
34   Estudo de um programa piloto da Estratégia Nacional de Educação Financeira
35   Estudo de um programa piloto da Estratégia Nacional de Educação Financeira
36   Pesquisa Portal Meu Bolso Feliz do Sistema de Proteção ao Crédito/ divulgação: junho/2014, referente ao período de março a junho/14
37   Dados globais, Maio/2014.
38   Pesquisa do SPC Brasil/ divulgação: 2013

3ª reimpressão	Junho de 2015
papel de miolo	Offset 75 g/m²
papel de capa	Cartão Supremo 250 g/m²
tipografias	Sentinel, Sanuk e Josh Handwriting
gráfica	Imprensa da Fé